To: 凱元
感謝支持!

10.15.2017

玩 桌 遊 還 是 被 桌 遊 玩

Boardgame Record

前 言

感謝嘖嘖、2Plus 桌遊設計工作室、綿羊犬百寶箱、胖胖熊親子桌遊，以及每個在嘖嘖上贊助的朋友，有平台和你們的支持，讓我能把利用寫部落格、工作之餘的時間所投注心血的內容，以書的形式被記錄下來並成功的出版它。

透過這本書，我想要和大家聊聊我自己在經營桌遊媒體的心得，以及這個世界上各個角落我所經歷到的桌遊大小事，希望藉由這本書，能夠讓喜歡桌遊的你，走出台灣，把「桌面上的旅行」實踐於現實生活中，去看看更多桌遊背後的故事以及值得你去探索的地方，去發現原來 BoardGameGeek(本書內容之後皆簡稱為 BGG) 上沒有登錄的遊戲，其實還有更多。

這本書已經收錄大部分我想寫的故事，不過全書原訂 248 頁，編排完已經來到 368 頁，這還不包括因為內容爆量而刪去的篇幅。這些放不進的內容也相當豐富，沒有一次收錄完全覺得很可惜，希望未來還有機會能夠發表它們。無論如何，這不是一本詳實的遊記，而是我在旅行期間的桌遊故事筆記，提供的資訊也許不是那麼完整，但是大多都能在網路平台找到更多詳細內容。

最後，希望你們會喜歡這本書。

感謝以下出版社的協助：

Shepherd 綿羊犬　TWO PLUS 2Plus.com.tw　BANG² GAMES

本《玩桌遊還是被桌遊玩》同名書出版計畫於 2017/06/21 02:00 嘖嘖平台集資成功：嘖嘖

目 錄

桌遊人生養成計畫

仔細回想起來，小時候家裡的桌遊還真不少。除了幾乎家家戶戶都有的《地產大亨》(Monopoly)以外，基本款的棋類遊戲也都有，尤其是那種多款合一的綜合棋盤也是必備。90年代，除了Game Boy、Windows 586系統，以及其它不知名的掌上機以外的娛樂，就是和鄰居好朋友一起玩桌遊，當時的概念是益智遊戲，還沒有桌遊這個廣泛使用的名詞。

以前在補習班上書法課、珠心算班的時候，最期待的就是中場休息時間跑到附近的書局逛玩具區，因為那裏總有許多益智遊戲和卡片遊戲，例如《遊戲王》盛行的時候，每個小朋友幾乎都會抽包購買，收集與對戰。此外傳統商店和賣場裡的文具區也有大量的益智遊戲，當然多半是盜版的，或者根本沒有正版盜版的問題，在那智產權的觀念還不重視的年代，這樣的桌遊很常見。例如《猜猜我是誰》(Guess Who?)這款詢問並猜測對方角色的邏輯推理遊戲，在當時被改成了《官兵抓強盜》，變成詢問犯人的特徵，看誰先找出對方的犯人，仔細對照BGG網站上的資料才發現使用的圖完全一模一樣，這是相當嚴重的盜版問題。

此外還有比如說，排水管比誰先連接到出口的遊戲、最早版本的《生命之旅》，以及後來實在太懷念，還曾經在論壇詢問有沒有玩家記得的《古墓奇兵》桌遊；在接觸到BGG後曾用關鍵字Tomb Raider去搜尋，但是看了圖片都不像，應該是台灣原創並採用這個主題設計的遊戲，在我印象中的版本裡，玩家會翻卡片排列冰雪般的場景，每張卡片就是一個指示方向的地圖，比如可以從這張牌的洞穴往下移動到下一張牌

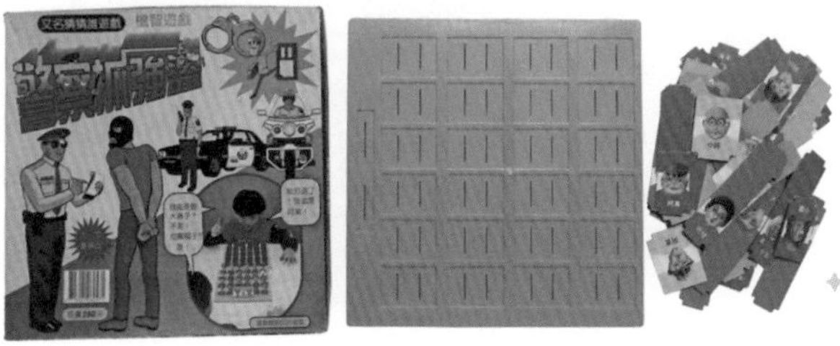

●《官兵抓強盜》山寨自《猜猜我是誰》。這樣的遊戲很多，以這款作為代表。●

的洞穴，詳細玩法已經相當模糊。曾經每個週日都在鄰居家玩這款遊戲，因此當時遊戲也都一直放在鄰居的鐵皮屋裡，隨著時間過去，長大後重心轉變，遊戲被遺忘了，鄰居家已經經歷無數次的打掃與整理，終至遊戲遺失。對這款遊戲的想念，直至今日都還烙在我的腦海中，因為那記錄著我童年一部分的美好時光。

除了實際購買的桌遊，把《地產大亨》改成我們自己的版本，也是小時候與玩伴常做的事。自己繪製新的星球卡、新的宇宙地圖、設定機會命運事件，以及重新設定數值等，自己的版本也玩得起勁。也許就是因為有許多這樣的回憶，對桌遊的興趣因此一直醞釀著，我至今都還是認為，後來會轉換跑道專於桌遊，與小時候家裡有著各種益智遊戲以及好玩伴有關。

另一個我至今難忘的遊戲是 Down Fall，算是我購買的第一款「正式」桌遊。高中和同學從法蘭克福轉機到義大利時，逛法蘭克福的機場商店發現非常多的桌遊，當時什麼桌遊都不認得，只記得轉機的時間很緊迫，隨意挑了一個「看起來」好像很好玩的遊戲，連盒子上寫什麼資訊都沒有看就結了帳。買回來擺在家裡很長一段時間，因為當時根本不懂德文，英文也很差，只能看著說明書的圖片自己摸索玩法，即使不知道正確玩法也有一番樂趣。同樣的，歷經多次的大掃除與整理，遊戲遺失了，但是回憶沒有。

● Down Fall 是一款 2 人遊戲，遊戲的目標是讓自己的指示物按 1 到 5 的順序由頂端落到底盤，藉由轉動輪軸，指示物會掉到下一個輪軸的凹槽，轉動的同時，對手的指示物也可能會被轉到其它地方，不過玩家彼此看不到對方的指示物目前在哪個位置。●

(圖片來源：出版社 Milton Bradley，現為 Hasbro)

後來上了大學，有次和學長姐出遊的旅行中玩到《砰！》(BANG!)大為驚艷，正式掉入桌遊坑就從這時開始。當時會跑新竹的一些桌遊店家，陸續參加了卡牌屋當時舉辦的頭幾屆聚會，甚至也參與小古的論壇討論，這才發現桌遊的世界有這麼廣。一直到研究所前，曾經有好一段時間沒有持續接觸桌遊，是後來和朋友自己揪桌遊團才又開始繼續研究桌遊，相較當時研究所相當有壓力的創作生涯，桌遊是我可以暫時拋開煩惱的對象物，加上開始欣賞桌遊各種面向的設計越來越有心得，也因此為現在的桌遊人生奠立了不少基礎。

部落格開張，凡事都有個開始

早期認識的遊戲不多，對我來說，買到一款喜歡的遊戲就像初戀一樣，總會仔細品味，然後回味再三。隨著玩的遊戲越來越多，收藏也跟著變多，遊戲的「被遺忘率」變高了，新歡不停往上疊高，舊愛則在架子下層哀怨哭泣；用相片做記錄成了基本動作，總會希望在開啟遊戲的當下，留下遊戲本身最初美好的身影，即使哪天它成為架子上最底下的那一盒，還是能透過照片回憶當初開箱的一切。雖然照片是經營部落格最重要的其中一環，不過開啟我寫部落格的開端，並不是要為遊戲留下美麗身影。

《村莊》(Village)是一款讓我由厭惡到熱愛的遊戲，《村莊》的開箱文也是我部落格的第一篇文章。還記得2011年底玩到這款遊戲的時候，簡直讓我無法置信，怎麼會有無法結束的遊戲，大家的工人米寶都一直撐住沒有死亡，導致該場遊戲進行超過4個小時，對我來說，一款輕中度遊戲要玩超過4個小時簡直是個災難。那次的遊戲體驗很差，我腦中想的只有絕不會再開這款遊戲，不過後來在好朋友的強力說服下重跑了一次，這才驚覺原來是規則有玩錯，而且這一次的遊戲體驗很棒，這時也才意會到遊戲教學的引導與規則閱讀的重要性。也許是某種補償心理，我再次把《村莊》買回來，並且用相機為它記錄一切，打算為它寫些什麼來平反，於是促成了部落格的第一篇文章。

在開始寫部落格之前，常去的幾

個部落格不外乎就是桌遊地圖室、卡牌屋桌遊室，或是其它長老級的部落格，例如小詩人的飄渺居（現在已經無法點閱），這些部落格有很豐富的遊戲介紹，有的也有詳盡的戰報資料，但是對於開箱的部分似乎就沒有相當著墨，當時寫《村莊》的時候想著，盡可能的把一盒遊戲的各個部分都拍清楚，然後藉由文字補充說明，應該對想知道這款遊戲細節的人有所幫助。受之於前人的恩惠太多，突然興起一種想要回饋的念頭，抱持這個信念開始經營這個部落格，這也因此成為我在分享各種內容的主桌。

開始寫部落格的時間，剛好是我研究所生活相當忙碌的時刻，論文書寫、創作，以及展覽籌備分割我日常相當多的時間，假日還得分身打工，根本沒有太多時間玩桌遊。當時一個禮拜可以生產一篇文章已經相當快速，加上當時還沒有一套書寫桌遊文章的系統以及自己習慣的流程，我一直是以想到就寫的狀態去進行，沒有一定得在哪個時間點投入。就這樣持續了一年，每個月大約4篇文章的產出。

隨著對文章的生產越來越熟悉，也逐漸有自己習慣的書寫方式後，加速了我生產文章的速度，同時讀者的增加也轉變成動力，促使我投入更多時間到部落格中。因此每年我的文章生產數量穩定遞增，在投入與過去等量的時間中，我生產的文章數已變為兩倍，這都是經驗與時間的累積，以及自己對桌遊不滅的熱情。從一開始對文章生產可有可無的態度經營，到漸漸讀者增加，部落格風格成型，頻繁的留言與來信，讓我開始認真看待這個部落格的成長，以及它未來成為我事業一部分的可能性，這是成立部落格初期所沒想過的狀況，也許也有那麼一種「無心插柳柳成蔭」的感覺吧；

●部落格的第一張開箱照。●

在部落格達到巔峰的時刻，也就是當兵前，人生準備進入新的階段，我把我原本預想的創作之路全都捨棄，決定全心往桌遊產業前進，這是個賭注，但是它回饋給我的成就感也相當高。

部落格的定名很快就完成了。「玩桌遊還是被桌遊玩」是當時我內心對收藏桌遊的想法，也許有時是我自己的執著，像染到松鼠病瘋狂買遊戲，但是開盒的速度遠不及買的速度，或者因為對特定遊戲的美術喜歡而購入、為了收藏而小心翼翼的買了很多保護性商品等，玩桌遊一段時間後不禁會想，我真的有在玩這些遊戲嗎？還是被這些遊戲玩了？是玩桌遊還是被桌遊玩呢？自我調侃後覺得這名字真不錯，可以整個架起自己「荒謬」的桌遊之路。

凡事都有個開始，什麼事都可能是促成未來發展的契機，一款我想為它平反的遊戲讓部落格誕生，但是這不足以讓它持續成長；最重要的還是時間的投入，當把時間長期的花在某個領域上，它就像是不停的灌溉、施肥，總有一天會有個意想不到的結果。

一個桌遊部落格應該要有的樣子？

實際上，我沒有認真想過這個問題。確切的說，現在部落格的樣貌，是經過長時間演進各個部分而呈現出來的。

一開始我並沒有限定我的文章會有什麼固定的格式，這從前期每篇文章的安排不一可以看出來。隨著時間推演，文章開始有了制式的作業流程，然後開始慢慢淘汰自己不愛的設計與編排方式，最終成為現在大家所看到每篇文章的模樣，那些比如說文章後的資訊列、規則說明的部分，為特定專有名詞加上超連結與底色等，都是隨著書寫經驗慢慢增加、微調，以及篩選後所呈現的結果。當這些經驗已經成為習慣，那自然的形塑了我在寫文章的制式規範，直到現在，如果沒有按照這樣的格式進行，我反而會覺得哪裡不對勁。

我對於部落格的編排與設計要求簡單易懂與條理分明，因此相較那些廣告文章、延伸圖層，以及超連結多到眼花撩亂的部落格空間，我選擇了更有調整彈性的 Blogger，這使得維持版面的整潔相對容易，讓讀者可以把焦點聚焦在文章內容與照片上，這是我希望能呈現的視覺風格。主色挑選了灰色與紫色，那是為了我自己所創造的「太空狗」吉祥物而有的設定，自 2013 年臉書粉絲頁啟用後，這個版本的視覺就一直延用，後來因應各種事件又有了新的改變。

我在書寫一篇文章最主要一定會進行的，就是拍遊戲照片以及翻譯規則，這兩者步驟先後順序不一定，有時先開箱了解配件，有時則是先翻譯好規則，端視我手邊有沒有這款遊戲而定。如果我手邊有遊戲，基於好奇心與嚐鮮，我一定會先開來看看再說。先翻譯規則也有它的好處，如此一來我就知道這些配件要怎麼擺、哪些配件可以放一起拍，以及如何拍一個範例等，讓拍攝開箱的過程更加順利。

截至目前為止，我的文章結構都是以遊戲封面照作為開頭，接著會有一個吸引人注目的大標題，然後介紹遊戲、設計師的相關背景，輔以延伸閱讀以及「想知道更多？」小專欄來提供更多資訊。相關背景介紹完才會進入開箱的部分，開箱完會有範例照或是實際遊戲過程的解說照，接著是心得列表，聊聊玩過這款遊戲的感想與摘要。最後一個部分則是規則說明以及遊戲輔助製作與分享，下方則有遊戲的條列式資訊，列出遊戲中的所有配件以及出版狀況。

在這樣的框架下，必須做的還有相當多的前置作業，諸如遊戲主題的理解（歷史、地理、文化、議題等層面）、遊戲背景爬梳（設計師、繪師、出版社、緣起、BGG 上玩家的討論、其它有趣的故事）、照片整理（開箱照、試玩照、修圖），以及規則理解與試跑（翻譯、閱讀、玩過這款遊戲的心得記錄等），以上所提各項目都完成後，一篇對我來說完整的文章才有生產的可能，不過這仍舊依每篇不同的標題而省略或增減某些部分。

當書寫文章有一定的格式與流程，可以讓我完成一篇文章的時間縮減，但偶爾也會有所倦怠，因為那是個不停重複，需要耐心的工作。所幸，每款桌遊總是有它的驚喜，使得這重複性高的作業流程不致讓人疲之。

會影響我每篇文章的安排與編寫，最主要還是在於「企劃」，假如這是一篇工具文，我的作業流程就與上述方式雷同，但假如這是一篇情報文，我就得歸納出有哪些大綱與重點需要歸納出來，例如寫埃森展的情報文時，我就會先把整篇文章分成好幾個章節，然後一一的在每個章節詳述相關內容，有時是很跳躍的，沒有按照第一章、第二章的順序書寫，有時不同章節可能會同時進行，當然也有突然靈光乍現，想要特地拉一個章節放入過去所沒有關注到的內容。

過去我嘗試規劃各種不同的文章企劃，除了常見工具文、情報文以外，還有翻譯文章，例如翻譯設計師日誌、設計相關知識文、十大X遊戲精選等，企圖讓部落格有更多樣化的面貌與知識存在，畢竟桌遊並不光是「遊戲」本身而已，一如我每次都很想好好為每款遊戲介紹背景一樣，因為對我來說，那遠比光是玩遊戲還重要。我得強調，那並不是一種掉書袋的訴求，而是為了提升遊戲的代入感，看看能不能從中找到更多遊戲機制與背景更緊密的連結。

總結來說，我會依據文章分類來決定這篇文章會以什麼形式呈現，一旦確立後，就會進入固定的作業流程。這樣雖然可以讓我寫文章更加順利，但也進入了一種無法改變的窠臼，有時我會很希望能脫離寫文的習慣，或者開始以一種過去不曾有的口氣與觀點來書寫，不過這並不容易，也是我一直很想突破的地方之一，也許我該再多觀察桌遊的更多面向，然後試試這些面向能不能讓我以不同的角度進行企劃。

寫桌遊部落格能吃大餐？

相信許多人會好奇的一個部分，就是經營這個部落格，我獲得了什麼？從第一篇文章的分享開始，我就默默的為自己經營這個部落格下了一個不可違背的原則，那就是我並沒有要從這些文章中獲利。那是因為我認為，一旦我像其它領域的部落客一樣，開始接受廠商的金錢贊助，那會使我無法寫出自己想要寫的內容，甚至開箱我喜歡的遊戲，我不想被這些利益束縛，進而違心的經營這個部落格，那將使我無法長期寫出自己喜歡的文章。一方面當時台灣桌遊的環境還沒有現在這麼好，分享的內容有人共鳴就很感謝了，根本不會有任何獲益的可能性。

因此在分享的桌遊挑選上，我都以我玩過、美術及主題喜歡，以及有足夠的話題能讓我發揮的遊戲為主，並不會因為遊戲的評價很高或是很多人討論的主流就選來介紹。所以大前提就是：我喜歡，我就會相當興奮的為該款遊戲生出一篇文章。

我不擅長寫技巧性的心得，尤其是需要分析策略、計算數學模型的那一種，因為我覺得那會破壞遊戲體驗，也會限制讀者對這款遊戲的理解與想像的可能性。我多半抓幾個大方向直接陳述我喜歡的理由以及特色，比如這款遊戲的運氣成分如何、隨機性輸入與輸出（伴隨著影響耐玩性）高不高、玩家之間的互動是否豐富，以及有特色的機制在何處等，直接表明我的感受。多半我提出的點都是好的、喜歡的部分，我不擅長書寫遊戲的「壞」、「弱」與批評，因為我認為那也會影響讀者拒絕嘗試去玩這些遊戲，我希望每個人在看了介紹以及我玩過的想法後，都能自己先去嘗試再來評斷遊戲的好與壞。而通常，遊戲一定有某些部分吸引我，或我覺得好玩才可能會以一篇文章的形式出現，主題、美術或玩過後我不喜歡，完全不會出現在部落格中，當然少數有幾篇是遊戲實在太爛，爛到我想寫的也是有。

寫文章到一個段落，隨著讀者越來越多，漸漸的可能會影響我書寫的內容，但我仍盡量維持初衷以及堅持的原則。尤其自部落格開始有一點名氣後，我最怕的狀況出現了：「小柴說那款遊戲很好玩，這一定要買。」、「你先去看小柴最近推薦什麼再買。」、「這根本是糞作，可是小柴評價很高耶。」，諸如此類的評價，在我耳裡、眼裡出現過許多，我無法阻止大家怎麼想我寫的內容，我只是忠實把我所喜愛的部分描寫出來，但當部落格的讀者穩定成長到一個階段後，它會變成某種程度上具有公信力的媒體，文章的內容多少會受到推崇，而被認為具有指標性，對我來說，那曾經是一種壓力，因為我說的並不代表一切，但無可避免的，它會導向這個局面，我很希望的是忠於我自己的想法去書寫任何有關桌遊的內容，而不流入為了討好讀者、掌握主流這種輿論式的操作，至今這仍是我對文章生產的堅持。

自從中文版的遊戲出版速度增快後，影響了我撰文的考量，同時也打破了我沒有要從文章中獲益的原則。不過實際上，我得到的仍舊不是實際上的金錢支援，而是一盒我能夠寫開箱文的遊戲。起初我無法接受拿遊戲寫文章，因為那必然會讓部落格導向商業化的操作，而使得部落格這個媒體本身、我所寫的文章本身，失去公信力。但轉念一想，假如這個遊戲剛好是我喜歡的，而我本來就會為了它寫一篇文章，那廠商提供了樣品又有何不可？於是我開始接受廠商提供的遊戲，但並非所有都接受，主題、美術、遊戲內容一旦不是我所喜愛的，一律拒絕。在這樣的情況下，它雖然一樣是從文章中獲利，但實際上我所獲得的，並不是撰文所直接轉換的勞動力報酬（稿費、宣傳費），而是一盒自己喜歡的遊戲，因此我接受了這樣的撰文形式，而且多半我會在這類的文章最上方提醒讀者，這是一篇「受到贊助」的文章，方便讀者評估。

另一部分和贈與遊戲有關的，那就是有些國外出版社為了推廣自己的遊戲，會尋找適合自己遊戲調性的部落客、Youtuber來做遊戲的介紹合作，為了達到各種語言的推廣，它們會寄送一些樣品給國外的部落客撰文。經營部落格的期間，我也收到一些廠商寄來的DEMO品，那些DEMO並不是正式出版的模樣，而是給部落客做遊戲預覽的配件包。我認為，收到國外廠商寄了什麼東西不是重點，而是有國外廠商注意到你的部落格，願意相信你，寄給你樣品書寫，這是一種超越利益的鼓勵與肯定，多半我會欣然接受這樣的贊助形式。甚至為了回應廠商的重視，在書寫的內容上會更加謹慎，並且盡可能地把特點寫出來，把遊戲好的部分做個提醒，簡單描述遊戲不好的地方（以不影響玩家實際去找來嘗試為原則），但不流於太過商業的操作，即使有，也會在文章上方加註由廠商贊助。

●《海盜王！卡片遊戲》(Pirates! Card Game) 的 DEMO 品。●

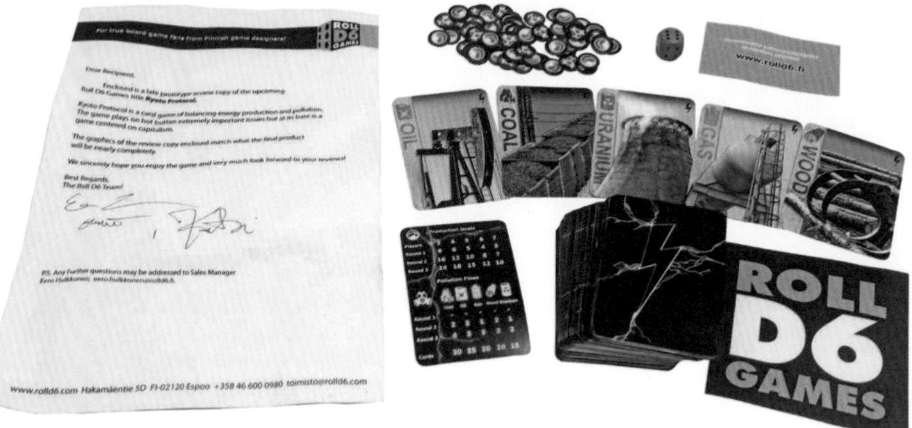

●《京都議定書：卡片遊戲》(Kyoto Protocol) 的 DEMO 品。●

隨著遊戲出版的速度成指數性的成長，在這個新桌遊爆炸的時代，我終於了解到收稿費的理由，有時並非只是利益上的考量。每天都有新遊戲誕生、每天都有你喜歡的遊戲，以及每天你都會聽到各種遊戲的資訊，我會希望把它們都轉換成一篇文章，記錄在我的部落格中，但是這都已經變成不可觸及的想望，那稿量與文字生產量實在太龐大了，你幾乎得用正職的時間在經營這個業餘的部落格，就像是一份正式的工作，無法輕鬆的、無壓力的進行書寫，然而這些投入的時間卻無法得到等量的金錢回饋時，必然會壓迫生活的品質，影響真實的收入，甚至是本來的工作。草稿匣中爆量的文章也成為壓垮我不收取任何利益的最後一根稻草，因為現在的我需要收入來平衡投入文章生產的時間，即使它相當微薄，而且僅只是要獲得一天溫飽也相當困難，但它仍能為我帶來更多動力。

於是乎，替一款遊戲撰稿，收取了合理的稿費，讓它可以在眾多遊戲文章中提前曝光，似乎有它的道理，我慢慢的說服自己，收取稿費，並不是真的要營利，而是為了讓這款遊戲有先於其它遊戲書寫的正當理由。我在截至目前為止五百多篇文章中，第一篇收取金錢稿費的遊戲是《歷史長流》，除了出版社希望提前曝光，也就是我前述的理由以外，我認為收取稿費的責任就是，我得更加慎重的去進行文章的書寫與編排，並且不能只流於商業化的高評價，這當然也是因為出版社給予很高的彈性，讓我能優劣並書，不會淪於商業化形式的推崇；評估過各種面向的因素，我認為這值得我去這麼做，收取這份稿費，除了夾雜了個人對這款遊戲的喜愛，有一部分更像是完成了一份交代工作，耗費的精神與心力，勢必比平日自由挑選遊戲書寫還來得多。

多數部落格的另一份收入來源，就是置入廣告的收入。在Google提供這項服務後，我嘗試加入我的部落格中，經過實際數據分析與計算，大約每千次瀏覽量才會有零點零一美金的收入，有時甚至還得看廣告的點閱率而定，並非時時都有收入進帳。在放置這些廣告後的某天，收到了Google寄來的一封信，非常感動的，這是一份一百美金的匯款支票，在整整長達一年半的時間裡，有這樣的成果已經讓我很開心，同時你可以知道，要靠生產桌遊文章來支持生活，根本是一件超困難的事！當然，我可以做更多商業性的操作來取得更多的收入，但是截至目前我所敘述的方式，已經達到我能接受獲取利益的底線，我無法為此投入更多時間，因為我了解：即使我是桌遊人，人生永遠不是只有桌遊。

這個部落格所帶給我的，可以分成實質收入（遊戲、稿費）以及隱性收入（名聲、其它工作的可能性、能力的成長、讀者的鼓勵）。隱性收入還是最精彩的地方，也是支持我能夠繼續生產桌遊文章的動力，同時它還滿足了我的個人成就感，並且磨練我撰文的技巧，即使是業餘的作業，仍舊期許一天比一天還要精進，這些都是實質收入所無法超越的。

與讀者的互動——當回應成壓力源

我始終對無法與讀者維持良好的互動感到愧疚，但我無法改變這一切。我珍惜每個留言，無論是留在部落格或是直接寄信給我，因為那代表一種重視。在經營部落格的前期，我總是維持有留必回的品質，不過隨著文章大量增加，我已經無法進入那樣的狀態，漸漸的這也成為經營部落格一部分的壓力源。分享，是我寫部落格最大的動力，我總是抱著能告訴大家這些好遊戲的興奮在撰寫每一篇文章，我喜歡看到讀者留的感謝文，因為那代表我提供的文章，協助或是解決了讀者的某些問題，對我來說，那就是最誠摯的鼓勵與支持，讓我能繼續寫我想寫的東西；不過那並不是指，我為了得到這些正面的回饋才去寫文章，我當然也接受負面的批評。

各種各樣的留言我都有收過，通常規則上的疑問與指點是最多的。隨著時間前進，腦中所能裝載的規則與遊戲內容量有限，總是會有比較新的遊戲佔據腦容量，有時不是漏了回，或者不回，而是離文章發表的時間太久，對該遊戲的部分細節已經完全失去，因而喪失了回覆的機能。當然也有很多時候，收到的留言都是：「XX遊戲會不會做中文化？」、「XX連結消失了，可以再重傳嗎？」等伸手牌類型的留言，老實說，有時真的會很沮喪。有時思考的會是，隨著時代演進，不同時期的玩家也許有不同的特質，過去新遊戲還沒有現在這麼多的時候，大家可能會有比較多的時間去研究一款遊戲，現在的新遊戲很多，有中文化很方便，會不會這樣的方便就成了一種理應「伸手」的藉口？有時我思考的是，我的這些分享是否是一種惡性循環並造成玩家自己唸規則、製作輔助物的惰性？無論是哪一種原因，我後來都以比較正面的態度看待，並持續以自己喜歡、舒服的方式進行分享。

競爭與前進，同路者一路相伴

每個產業必然會有其競爭者，部落格的經營也是同樣的。不過那些競爭最後都會轉為前進的動力，並成為自我提升與調整的參考依據。過去剛開始經營不久也常不自覺掉進這種競爭的漩渦中，後來也才慢慢了解到「一路走來，始終如一」的重要性，專注在自己所認為對的事情上，對於部落格的經營才能長久；曾有朋友問我：「你還會繼續寫部落格嗎？」，我想就是等我對它失去興趣的時候吧，不過這件事目前從未發生過。我一旦投入一樣興趣，就會非常的專心，例如寫部落格之前，我非常認真的在收集唱片，或者收集太空主題的郵票，現在到桌遊這一塊也是同樣的，「專心致志」是我自己不斷勉勵自己向前的格言，同時也是我對待許多事物最核心的看法。

這樣的競爭牽涉到「數據」的問題，我想這無論在哪一個領域，或是生活中每個角落都能發現的事，你會在意文章的讚數，在意點閱數，或者在意特定的排名，我不會說那不影響部落格的經營，或者我不在意那樣的事，與同領域競爭者的比較，有時是前進的動力來源，甚至是一種鼓勵機制，只是我會轉化為更積極正面的作法去提升部落格本身。也因此，有一些原則來自於在意這樣的數據，這樣的鼓勵機制，同時當然也是我自己的性格所致，例如遊戲我不喜歡寫有人發表過的，不是第一個寫不然就是不寫，或者要寫也要增加更多有趣的內容，也就是那種差異性與專斷性，已經成為某種如強迫症般的原則，甚至沒有打破的可能性，否則那將使我無法繼續維持部落格的經營。

有時我稱這樣的原則為「懲罰機制」，我不會想所有桌遊人、所有玩家都應該要來看我的部落格，我會想成是，我的分享就在那裡，沒看到並不是我的損失，那是對錯過資訊的人的一種「懲罰」。這樣的懲罰機制也適用在任何我所看待的人、事、物上，那種「不強求」已經成為我的人生哲學，我希望真的願意點進來看，願意給粉絲頁一個讚的人，是真的知道差異在哪裡，知道他真的需要這樣的資訊，而不是因為廣告或刻意宣傳而點進來給個讚。也曾有人問我，你不下廣告宣傳，誰會知道你的部落格？這真的沒有辦法，這個部分就是我的性格所導致的「低調」行事風格，無法改變，況且我認為很多事都是一種緣分，時間到，連結自然就來，不需強求。這樣的原則我覺得很舒服，可以讓我更沒有壓力的去做我喜歡做的事。

溫暖與滿足，好玩咖一路相伴

有時候即使是遊戲性沒那麼好的遊戲，好的玩伴也能協助它起死回生。有時候其實不是在遊戲本身的體驗上，而是與不同人遊戲所帶來的互動，讓遊戲這件事變得很有魅力。桌遊就是這樣一種相當特別的媒介，當與自己喜歡的玩伴一同遊戲時，遊戲的缺陷將不再是最重要的，而是在遊戲的過程中，我們又更進一步了解彼此多少。

我很慶幸在桌遊人生的旅途，碰上兩位很棒的玩伴—小眼睛和 Pop。和小眼睛的相遇非常有趣，當時我在北藝大唸書，很常在竹圍的一家影印店印有關桌遊的幫助卡和說明書，有次老闆娘告訴我，住關渡有一個人也很常會印這樣的東西，這對當時很難有固定桌遊玩伴的我來說是一件非常驚喜的事—原來同樣有這種興趣和嗜好的人就在附近。就在這樣特別的緣分牽起之下，我們開始聯繫接觸並有了固定的桌遊團，從每次開團的過程中，我們漸漸了解彼此，同時也發現喜好非常相似，這因此也讓我們從桌遊領域跨到生活其它的面向，因而有了更緊密的連結。這樣的連結變得好像說，每款遊戲都很好玩，因為是跟小眼睛和 Pop 玩。

●最好的玩咖夥伴小眼睛 (右) 和 Pop(左)。●

我們在玩一款遊戲前，習慣先聊聊遊戲背景和故事，而不是直接開頭講規則，我們會做足相關歷史、文化、地理等考究的功課，然後以簡單易懂的方式讓大家了解，這樣的作法當然也直接影響到我撰寫桌遊文章的內容—在文章開箱前先介紹主題和背景。我當時對許多部落格只提遊戲本身機制、規則覺得疑惑，難道這些主題和背景不是最重要的嗎？背景的說明能賦予遊戲更多的情境感與代入感，我們將能去思考這些機制與背景的連結性，甚至是設計師套用這個背景的考量，玩一款桌遊就像是在了解一個特定時空背景的文化，個人認為桌遊是一個很棒的文化載體，如果只去在意遊戲性和好不好玩這件事，而忽略了遊戲本身所能帶來更多的資訊，是一件相當可惜的事。我們都認同這些細節的必要性，自然也就更加要好，無論是遊戲還是生活的其它面向上。

從幫助卡和收納這兩點，也可以看到他們對桌遊的熱情，當然這也讓我想以同樣的方式回饋，因此我從分享桌遊文章後，也開始做幫助卡、規則說明等，想想大家互相幫忙是一件非常棒的事。即使後來工作忙碌以及生涯規畫，讓我們能一起相聚的時間變少，但是還是很感謝這個桌遊旅途上，有他們這兩位好玩咖相伴。每一款桌遊，我都是玩過才會下筆書寫，尤其有心得分享而不是單純介紹的文章，勢必得有玩伴一起測試，驗證規則正確與否才行，和他們玩也許最大的問題就在於，每篇文章的心得都是失準的狀態，因為再難玩的遊戲有他們相伴，全都變得好玩起來！

●要小眼睛推薦她收納做最認真的一款，她覺得是《葡萄酒莊園》(Viticulture)。●

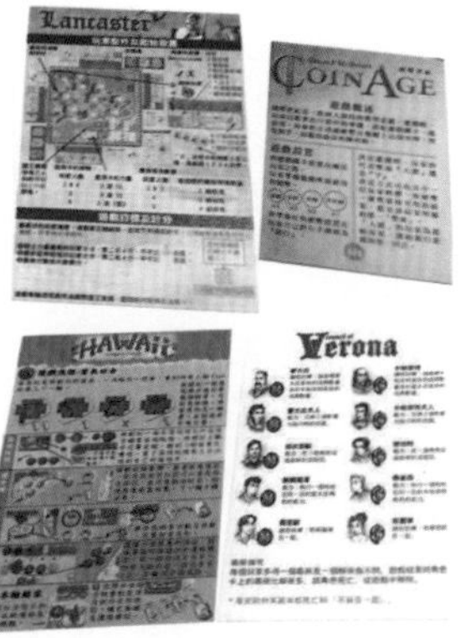

●過去除了規則書的翻譯和製作以外，對這種遊戲幫助卡的製作相當著迷。●

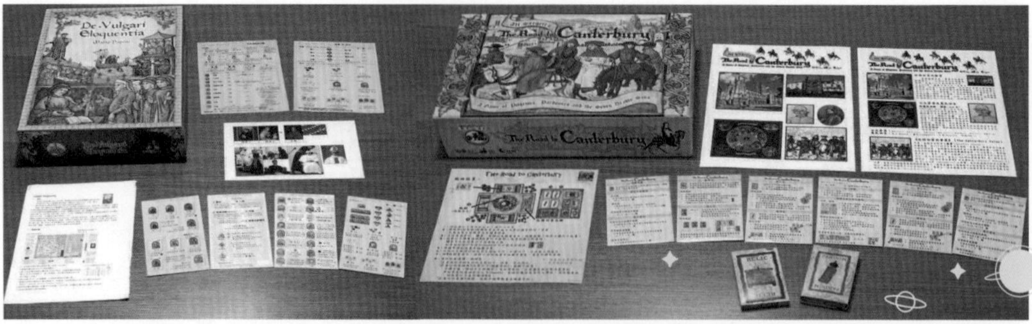

●若是說到背景準備與幫助卡做最用心的，她則覺得是《俗語論》(De Vulgari Eloquentia) 和《坎特伯里之路》(The Road to Canterbury)。●

討厭的文章？討厭的自己？

每個人有他對每款遊戲的論點和看法，我得說我在評論這一塊是真的非常差。我不善比喻，也不太會說故事，有時看到自己生硬、拙劣的文章也會感到厭惡。說自己不喜歡、討厭什麼很容易，但要說出特點、好的一面相對困難，因此我每款遊戲的介紹，都試著挖掘並說出自己喜歡、好的地方在哪裡。那種正面、反面的觀點陳述與邏輯思辨是一件不容易的事，除了要有大量的先備知識，也要說的有憑有據，我一直認為這是一篇心得文最重要，也最難的地方，然而就連我自己，都想要了解遊戲的好與壞在哪裡，我也很欣賞能夠把這個部分說得好，又能以一些淺顯易懂的比喻或者生動故事來描述的人。無論如何，我還是盡可能在文章裡嘗試分析、嘗試思辯，但久而久之還是會柿子挑軟的吃，僅做自己最熟悉，比如遊戲的介紹與最基本的架構分析。

每個人的喜好與特定行為將成為他鮮明的特色。以我自己來說，促使我寫一篇桌遊文章的動力來源，來自美術好、設計感強，遊戲體驗反而是其次，但許多人也認為，遊戲好玩最重要，什麼美術、背景都是套的。我得說，桌遊美術的確是桌遊一半的靈魂，我們是視覺動物，先注意到自己喜歡的遊戲視覺是非常容易理解的一件事。有時有人會希望我寫特定遊戲的介紹，不過我真的很看自己的喜好做事，比如我後來就比較不寫微縮模型、奇幻類型的遊戲，這都是因為自己對美術喜好與收藏方向的問題，我把它理解為自己的特色，那因此讓我不會那麼討厭如此挑剔的自己。有時面臨的可能是主流、商業口味與個人品味的差異問題，我不會想強調自己有多麼不同，但我會試圖從文章裡說明自己的喜好為何，為什麼這樣的視覺與設計會是值得讚賞的。儘管自己欣賞的遊戲有時並不被人所理解，或者被解讀為曲高和寡，但是各種遊戲都會有欣賞的人，我的角色與定位，就是試著找到同樣欣賞這些遊戲的人，無論是指遊戲美術或是遊戲性上。當然遊戲美術與體驗很難做到絕對的客觀，但那種主觀就是個人特色與意志，我認為這是身而為人最重要也必須要讓人知道的事。因此多半時候，我會盡可能推掉自己美術不愛、機制不愛的遊戲，人情壓力或者稿費機制，完全無法動搖自己對喜好的堅持與原則，因為這也是我所喜愛的自己，我就是這個樣子。

延伸的媒體與休息的念頭

不是沒有想過是否該中斷桌遊一陣子，尤其我總認為人生是階段性的，桌遊並不是全部。這是以我把桌遊當作一種工作而言所會有的想法，它仍舊是非常棒的一種休閒活動。工作和興趣綁在一起有好有壞，以我目前的狀況就是處在這種黏稠的狀態，我可以很享受工作，但也可以對工作感到厭倦，那是因為有時連好好悠閒的玩一盤遊戲都無法，它會立刻轉變成工作模式，比如認為現在這個遊戲體驗應該要被記錄下來，或者應該要為它拍個開箱照等。

隨著擱置的草稿越來越多、新遊戲近年來爆炸性的成長，以及媒體的延伸（如需要額外經營推特、Instagram）等因素，不是沒有想過該好好休息，或者轉換跑道。每個領域都有它的倦怠期，唯有它兌換而來的成就感能持續供給，才有前進和維持的可能性；所以最後，問題還是回到「初衷」。為什麼我想寫桌遊部落格？為什麼我想介紹一款遊戲？事情回到源頭好像就覺得什麼都正確了，找回當初喜歡桌遊的心情與體驗，將會是能夠持續下去的動力，需要經營的媒體變多，或者其它額外的反饋將不會有太大的影響。因此話又說回來，這全都是看正在進行的事情是否能在不違背自己設下的原則的前提下，以自己覺得舒適的狀態去完成，至少我現在還是很享受在這個領域中。

另一個能夠讓我繼續前進的原因，竟也是因為我能為這些延伸的媒體，做一些自己喜歡的視覺以及設計。從2012年開設臉書粉絲頁開始，我就讓這個部落格常駐一個代表性的符號，這個符號我以一隻不明生物—「太空狗」作為主要象徵。這個太空狗的原型，來自於曾經為朋友設計的空氣寶寶，不過後來這個視覺符號沒有被採用，因此被我拿來加以修改，並慢慢演化成現在的模樣。

這時候，因倦怠而放棄的不會只是不繼續經營部落格這件事，而是整個為這個部落格而生的視覺體系以及相關衍伸物，或甚至那些它為你連結起的各種人、事、物。無論如何，這些都是一個必經的歷程與心境上調適的問題，以上和大家分享。

●臉書粉絲頁人數突破 7000 人次賀圖。●

關於手滑，關於收藏

隨著玩遊戲的時間越來越長、旅行的地點越來越多，收藏也跟著成長。除了部落格裡開箱所見，也有大量根本沒有時間玩，或者玩了也沒機會分享的桌遊，這裡將分享其中一小部分。收藏裡有很大一部分是跟《超級瑪利歐兄弟》有關，我想這是許多玩家的共同回憶，尤其是紅白機時代的《超級瑪利歐兄弟》。有趣的是，日本也有推出桌遊的扭蛋，不過通常都以「益智遊戲」的形式出現，哪天如果推出像是《卡坦島》(Catan)、《卡卡頌》(Carcassonne) 等經典作品的扭蛋迷你版，應該會讓非常轟動吧。此外也和大家分享一些稀有、少見，甚至很獵奇的遊戲，這些都是玩桌遊至今珍貴的收藏品。

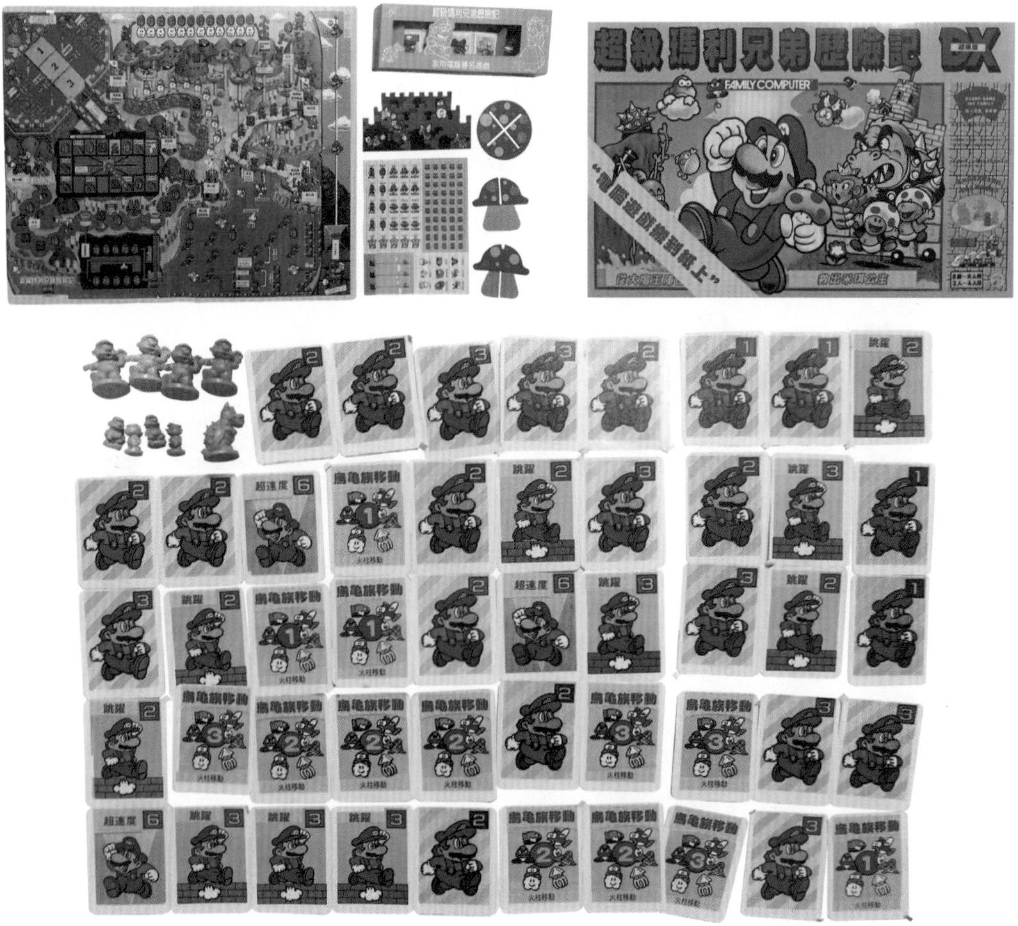

●這是自己所收藏年代最久遠的一套《超級瑪利歐兄弟》桌遊，可惜規則已經遺失。●

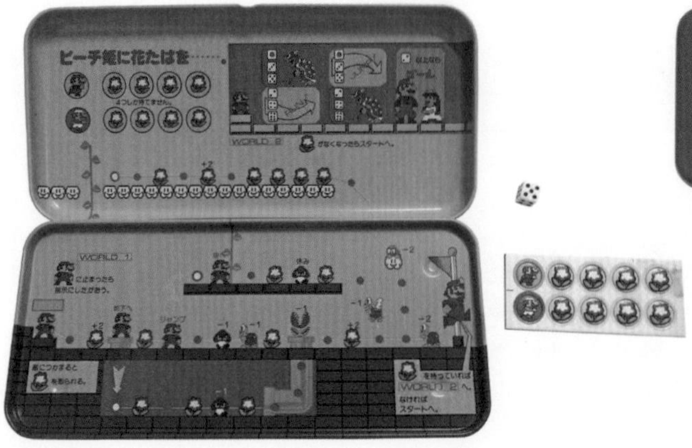

●鐵製鉛筆盒內部就是一個遊戲，裡面的配件除了骰子都有磁力。●

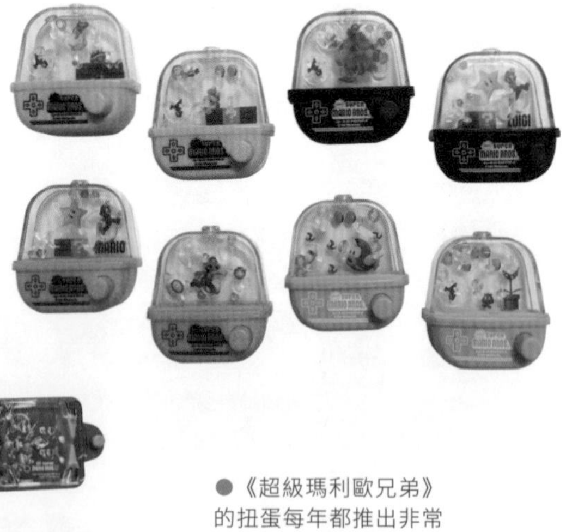

●《超級瑪利歐兄弟》的扭蛋每年都推出非常多，許多款都可以看成是迷你小桌遊。●

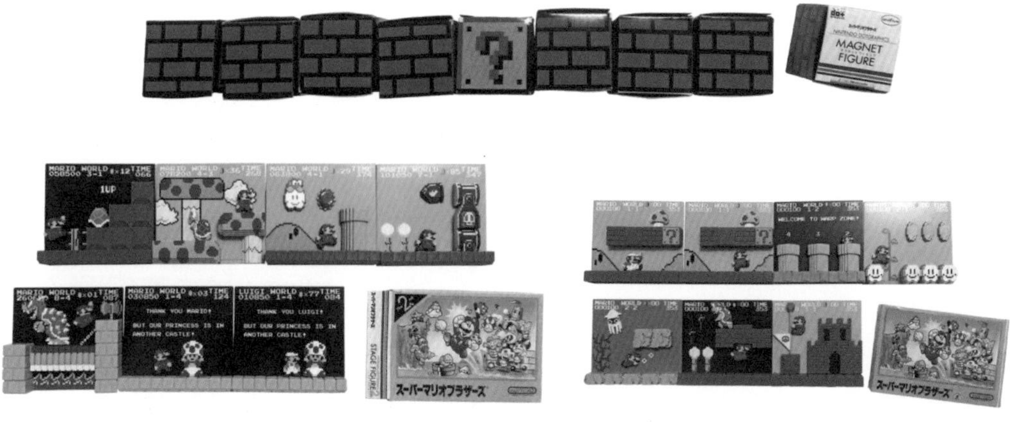

●任天堂推出許多《超級瑪利歐兄弟》的週邊，這個一代和二代的場景組加上隱藏版要收齊很辛苦，此外還推出角色補充包，場景版上的角色都是磁吸的，可以用背後的磁鐵移動它們。●

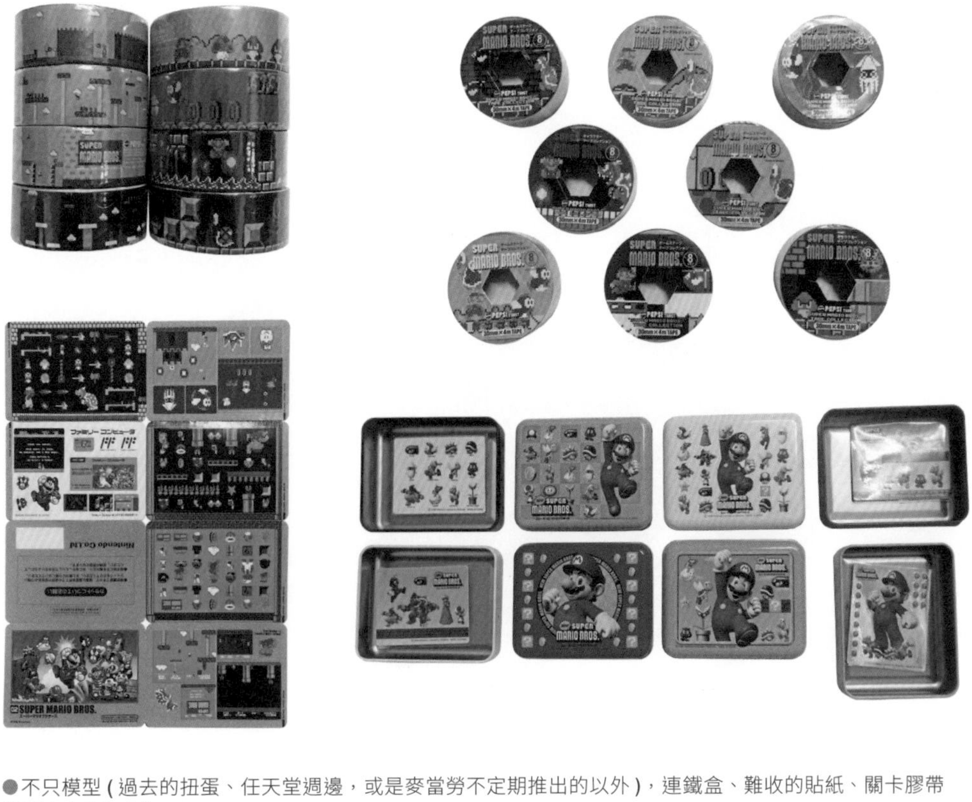

●不只模型（過去的扭蛋、任天堂週邊，或是麥當勞不定期推出的以外），連鐵盒、難收的貼紙、關卡膠帶等週邊也瘋狂收集……●

●有去日本一定都會固定帶一些《超級瑪利歐兄弟》的桌遊回來……●

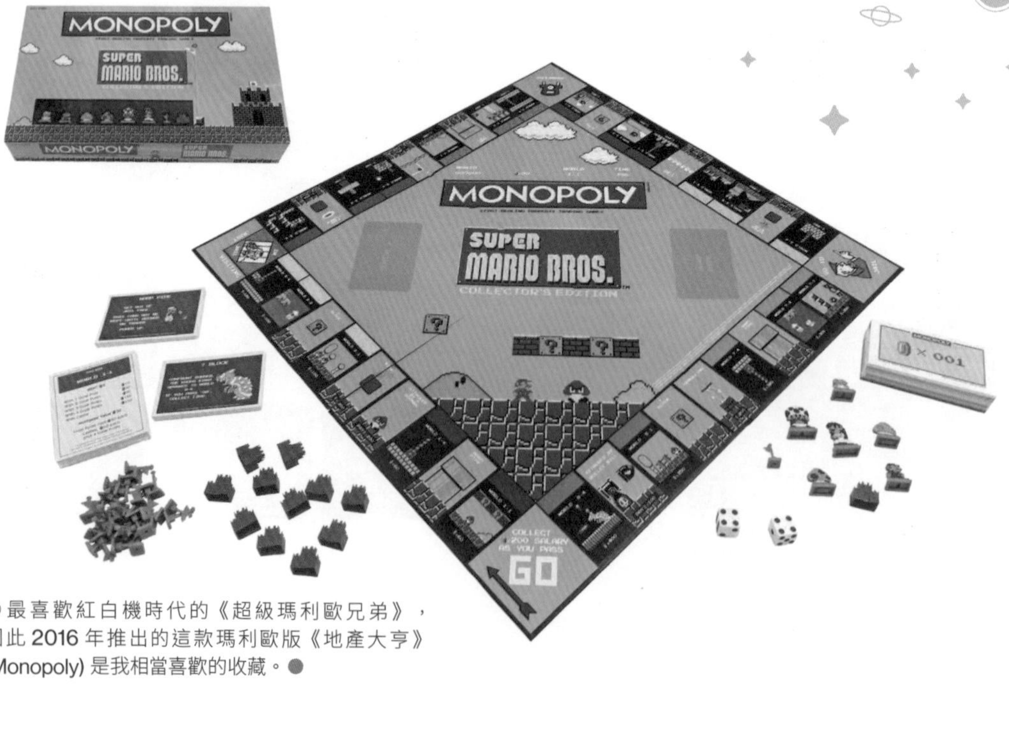

●最喜歡紅白機時代的《超級瑪利歐兄弟》，因此 2016 年推出的這款瑪利歐版《地產大亨》(Monopoly) 是我相當喜歡的收藏。●

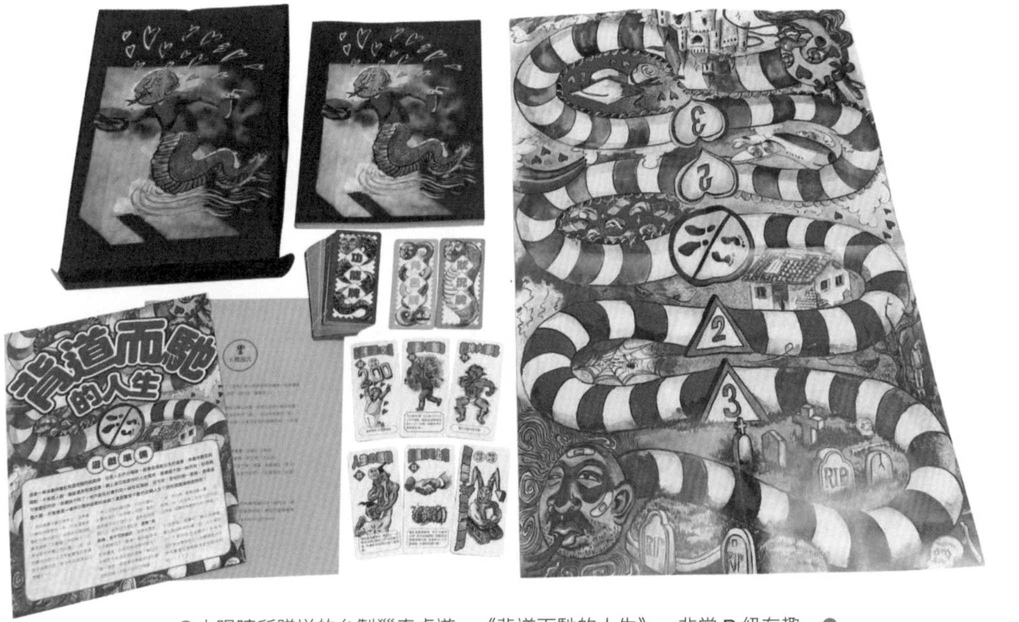

●小眼睛所贈送的台製獵奇桌遊—《背道而馳的人生》，非常 B 級有趣。●

●芬蘭國寶《嚕嚕米》(Muumi) 的遊戲手巾，是一款擲骰並移動類型的遊戲，手繪插畫讓我愛不釋手。●

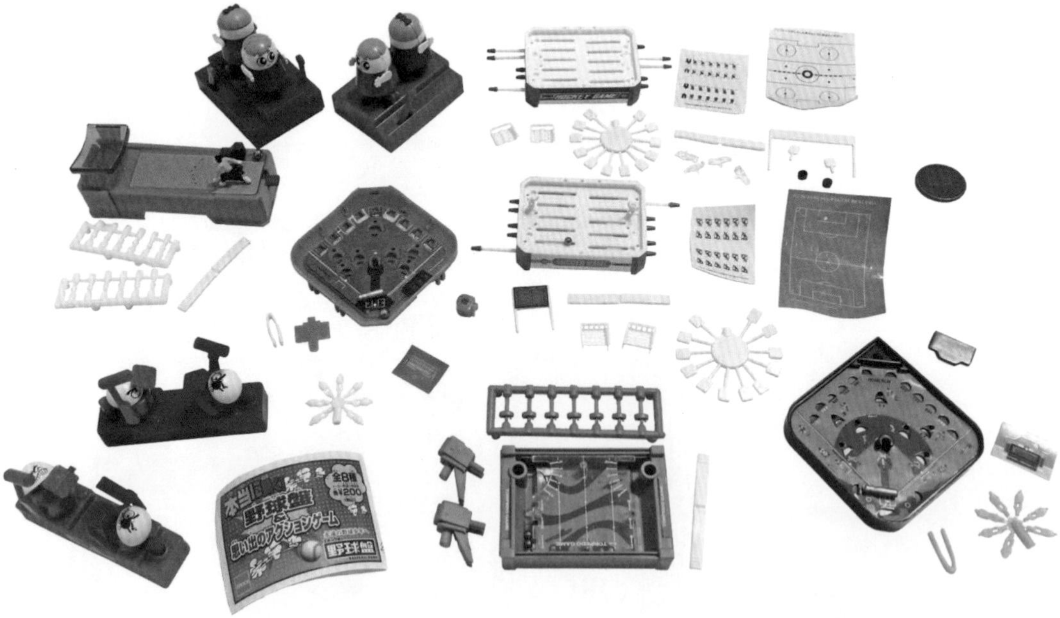

●日本的扭蛋主題無所不有，桌遊當然也不例外，不過有些都是以「益智遊戲」的形式入題。此外像「野球盤》系列的迷你扭蛋桌遊也非常多。●

●自己的收藏中，最迷幻、最獵奇、也是最B級的一款—《迷幻食菇人》(The Mushroom Eaters)，裡面不只紅藍3D眼鏡，還有一副多重鏡射的迷幻眼鏡，透過眼鏡看圖板，真的會玩到像吃了「迷幻蘑菇」一樣。●

部落格小檔案

開設時間：2012 年 2 月 12 日

總瀏覽量：約 420 萬

文章數量：555 篇

最多文字的一篇文章：《國家》(Nations)

最高瀏覽量的前三篇文章：《璀璨寶石》(Splendor)、《犯人在跳舞》(Criminal Dance)、《機密代號》(Codename)

有最詭異回覆的一篇文章：《資源回收：關鍵時刻》(Recycle: Critical Times)

部落格神秘彩蛋：部份月份有後來才補充發表的隱藏文章

(以上為截至 2017 年 8 月 10 日的資料)

部落格：http://boardgame-record.blogspot.tw/

臉書：https://www.facebook.com/boardgame.record/

推特：https://twitter.com/boardgamerecord

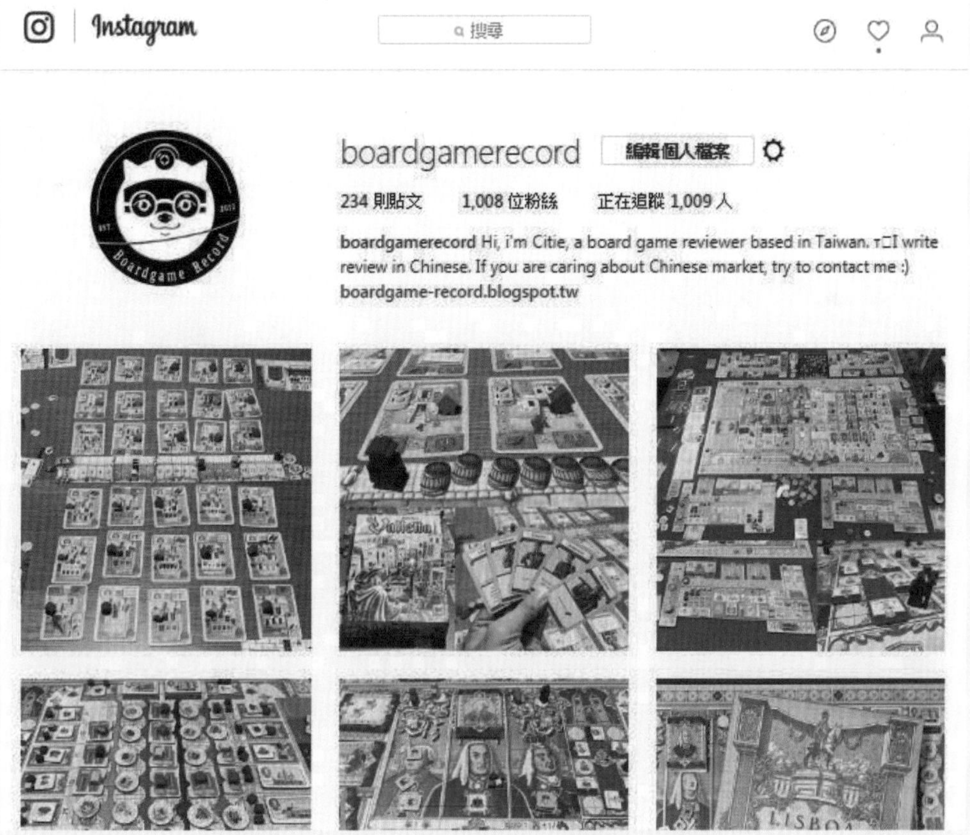

Instagram：https://www.instagram.com/boardgamerecord/

臉書頭像的演進

2012-2013

2014

2015

2016

2017

每年埃森展特別報導的 Banner 演進

2012-2013

2014

2015

2016

2017

角色介紹

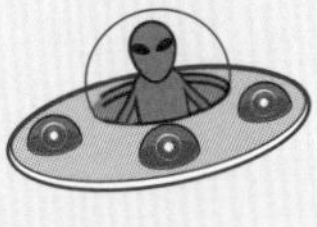

綠星人

太空狗最好的朋友，無論太空狗去哪裡或者遭遇什麼困難，絕對一路相隨。雖然以外星生物的比例來說它非常的迷你，但是據說有能顛覆整個宇宙的超能力。它說的語言只有太空狗能理解。

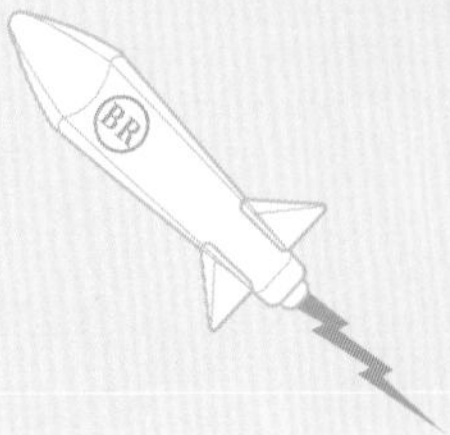

太空狗

來自神秘紫色星球，總是穿著太空裝的狗，據說神秘紫色星球上的人也非常喜歡玩桌遊。某次時空旅行意外跑到地球後就常居於此，實際上沒有人知道牠會在哪裡出沒。平常最喜歡研究桌遊規則。

SWISS

EST. 2012

Boardgame Record

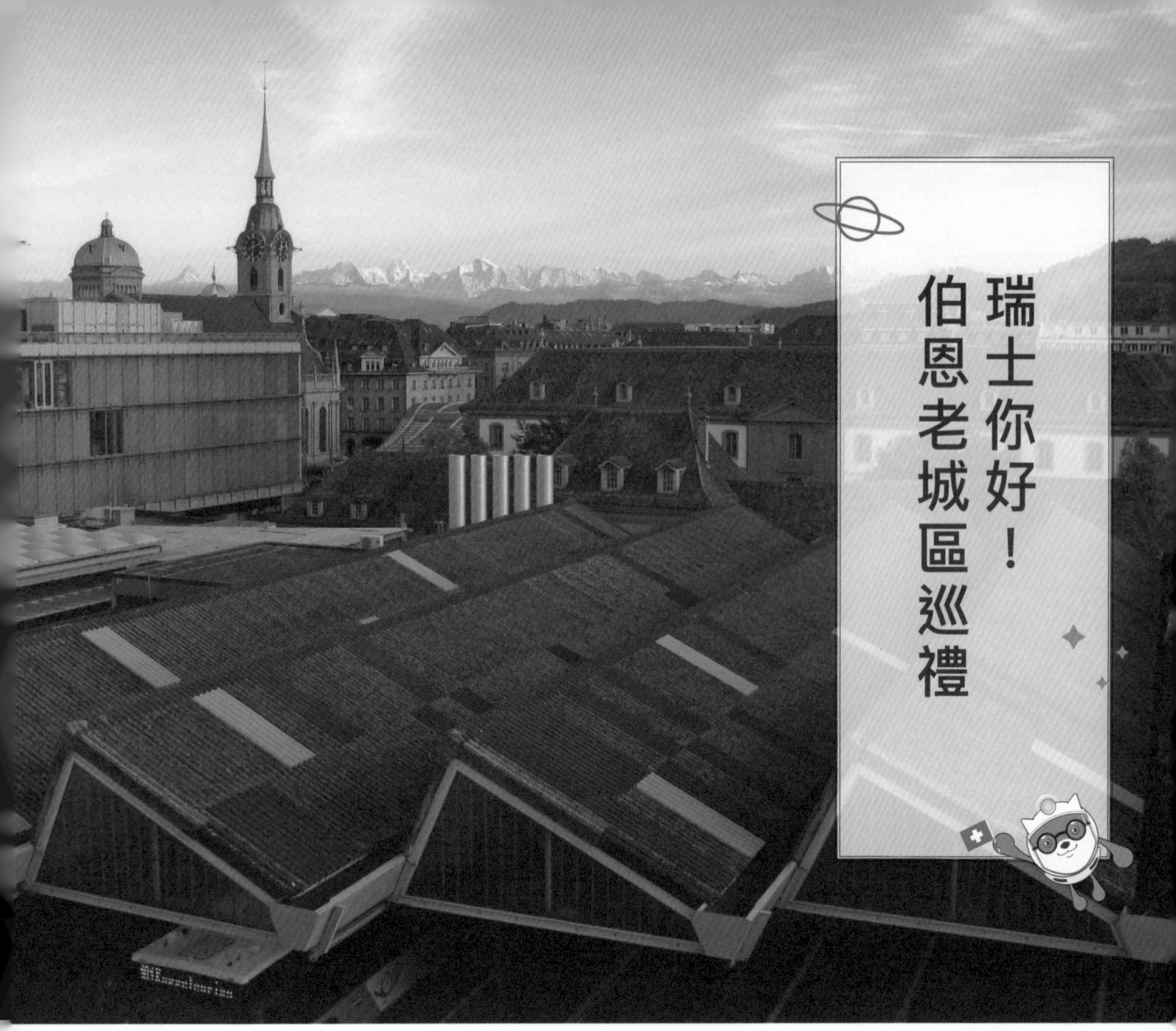

瑞士你好！伯恩老城區巡禮

●伯恩大學就位於伯恩火車站的正上方；從伯恩大學的愛因斯坦廣場遠眺，阿爾卑斯山就在遠方！●

下火車，和在這裡唸書的蝦米來到他們的學校，從愛因斯坦廣場眺望遠方的阿爾卑斯山，天空是藍色的，空氣也是藍色的，想著終於來到瑞士。說到瑞士，我們直覺想到的城市是蘇黎世和日內瓦，其實瑞士的首都是第三大城的伯恩，第一次到這裡，聽著蝦米這麼說才恍然大悟。伯恩最著名的是聯合國教科文組織評定為世界遺產的古城區，剛從火車站出來就可以立刻感受到伯恩的魅力，讓人彷彿走進中古世紀的繁榮小鎮，古色古香的建築讓人流連忘返，時間都慢了下來。

伯恩(Bern)這個字的由來尚未確認，不過根據當地傳說，十二世紀時，建造這座古城的柴林根家族，決定以第一次狩獵的動物作為這座城市的名字，結果柴林根伯爵第一隻狩獵的動物是熊，伯恩因此而得名（伯恩就是熊的意思）。你會在這裡看到市徽上有熊、商店裡擺著各種各樣熊的紀念品，還有來這裡一定要去的熊公園，看著公園裡的熊睡得香甜，整趟旅程也變得愜意起來。

除了熊公園，往上走可以到玫瑰園，居高欣賞整個古城區以外，這裡還有地標建築伯恩大教堂，從教堂鐘塔可以往下俯瞰整座被阿勒河圍繞的古城，遠眺則看到連綿不斷的阿爾卑斯山，優美的景觀讓人心曠神怡。沿著離大教堂旁邊不遠的小街巷走著，愛因斯坦之家就在這裡，一樓是咖啡廳，二樓以上則是愛因斯坦故居，裏頭還保留當初

●熊公園裏的熊會到處亂跑，不容易找到。●

●位於熊公園旁的積木遊戲小店，可以進去看看這個無限循環的彈珠裝置。●

●假日會有許多人到玫瑰園遊憩，當時有人正在草地上玩「戶外桌遊」。●

的擺設，從一旁的說明文件可以了解，愛因斯坦在伯恩的七年間，發表了許多的研究論文，其中《相對論》更是在這裡完成的！

●從玫瑰園遠眺老城區，可以看到地標伯恩大教堂。●

漫步在城區，路面電車穿梭在建築之間，每走一段距離就可以發現一座座歷史噴泉，角落的小攤販販售著各種特色甜點，路上的遊客零零散散，好不悠閒。此時已經快要到和蝦米約定的時間，周遭吸引人的商店只好稍晚再去；遠方鐘聲傳來，循著聲響前往，許多遊客聚集的時鐘塔下已經有一批參觀者等著。時鐘塔是伯恩最著名的旅遊景點，來到伯恩一定會到這裡看看這十三世紀初建造的塔樓，其內部的機械裝置自十五世紀至今都還準確的運行著。和蝦米碰面後，我們就隨著導覽人員一同進入時鐘塔的內部，了解運作方式和歷史背景。

●伯恩大教堂就在愛因斯坦之家的斜對面。這是一座哥德式的教堂，也是瑞士最高的教堂。●

●伯恩大教堂內部，玻璃花窗上的圖像呈現許多歷史故事。●

●登上大教堂頂往外看整個老城區，整個城區沒有被破壞，保留相當完整，這裏已經被聯合國教科文組織核定為世界遺產。●

・愛因斯坦之家相當值得一看，裏面展示他待在伯恩大學任教7年的各種資料與文件，其中還包含重要的《相對論》。・

漫步在城區，路面電車穿梭在建築之間，每走一段距離就可以發現一座歷史噴泉，角落的小攤販販售著各種特色甜點，路上的遊客零零散散，好不悠閒。此時已經快要到和蝦米約定的時間，周遭吸引人的商店只好稍晚再去；遠方鐘聲傳來，循著聲響前往，許多遊客聚集的時鐘塔下已經有一批參觀者等著。時鐘塔是伯恩最著名的旅遊景點，來到伯恩一定會到這裡看看這十三世紀初建造的塔樓，其內部的機械裝置自十五世紀至今都還準確的運行著。和蝦米碰面後，我們就隨著導覽人員一同進入時鐘塔的內部，了解運作方式和歷史背景。

做過簡單的城市巡禮，接下來的這一兩天開始尋覓桌遊的身影，許多販售設計商品的小店幾乎都

●伯恩也被稱為噴泉之都，因為整個城市有超過上百座的噴泉，其中包含相當知名的食童噴泉，只是我去的期間正在維修。這些噴泉是早期的供水設施。圖為其中一座旗手噴泉，他手上拿著伯恩洲的旗幟，上面有伯恩的標誌。●

●從天文鐘向外看老城區與街道。●

●到伯恩不可錯過的地標—天文鐘，每整點報時人偶就會開始動起來。上去天文鐘內部參觀 15 歐元，可以從中了解伯恩的歷史，以及天文鐘的運作方式，從裏面精細的機械運作可以知道瑞士鐘錶業真不是蓋的！●

會放置幾款桌遊，甚至服飾店、生活用品店等都能看到，書店就更不用說了。多數紀念品店一定會擺的桌遊，就是有關瑞士的知識問答遊戲，和大量使用紅色與瑞士國旗十字符號的設計商品一起放在架上相當醒目，例如：Swiss IQ、Cantuun，或者 Helvetiq 等，這些桌遊主要針對觀光客，同時也行銷瑞士，基本上也只有在瑞士販售（或者你可以從網路商店取得），想要收藏和了解的話，帶一套做紀念還不錯，透過這些遊戲也可以了解瑞士一部分的桌遊設計。其它像是瑞士限定版本的遊戲也很值得一看，例如《蘇格蘭警長瑞士版》(Scotland Yard Swiss Edition)，遊戲中使用瑞士地圖，甚至還有瑞士聯邦鐵路的支援。如果時間允許，看到落地窗擺設喜歡的商店就走進去吧，你會在角落不經意的發現許多桌遊的驚喜。

●古色古香的建築物中，隱藏了許多可以發現桌遊的商店。●

●伯恩火車站旁的書店，仔細看，人來人往的展示櫥窗裏擺滿了桌遊，二話不說衝進去晃一下。●

●你會在街道上發現非常多這種位於地下室的商店，它的入口就位於一般店面的前方，相當特別。●

●一進去就發現有個角落有大量的桌遊！●

●一蘇格蘭警長瑞士版》，這個版本的地圖當然就是以瑞士為主囉；左下角可以看到瑞士聯邦鐵路 SBB 的符號。●

●雖然品項不如專門的桌遊，但是對於旅客或是當地居民來說這些遊戲量也已經足夠。展示的遊戲多以輕策略、家庭遊戲、派對遊戲，以及卡片遊戲為主，當然你也可以在這裏發現瑞士才有販售的遊戲。●

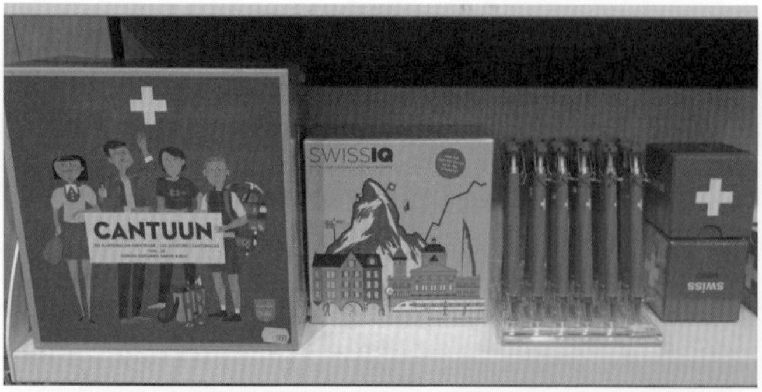

●隨意走進販售各種不同主題商品的商店，共通點都是不只販售許多瑞士的周邊商品，還販售大量與瑞士有關的桌遊，像是 Swiss IQ、Cantuun，或者 Helvetiq，多數以瑞士知識問與答作為設計內容。或者也有販售屬於伯恩版本的遊戲，像是《地產大亨伯恩版》(Monopoly: Bern) 等。視覺設計上採用伯恩的徽章或是瑞士國旗的紅色以及十字符號，相當搶眼。●

●在老城區的商店晃晃，隨處都有驚喜。無論是精緻的木製玩具，還是具有創意的紙板西洋棋，讓人可以好好挖寶一番。●

●哇！發現專售 HABA 的桌遊專區，開盒的展示看起來好吸引人。●

●即使商店外頭販售的是生活雜貨，或者是設計商品，不要懷疑，走進去看看就對了。總是能在商店的某個角落找到桌遊區。●

想 知 道 更 多 ？ 什麼是什麼是 Helvetiq ？

在瑞士你能看到的火柴盒桌遊或是有關瑞士問與答，非常觀光取向的遊戲都是由位於洛桑的出版社 Helvetiq 所出版的。最早它們於 2008 年推出了第一款瑞士機智遊戲，取得了相當大的成功，它們發現人們對於探索自己的城市與國家是相當有興趣的。於是它們又陸續推出了 Switzerland: Pictolingua 以及 Cantuun 等文字與探索城市的遊戲，也帶來亮眼的銷售。後來這些探索城市的系列遊戲還延伸到其它國家的版本，例如後來推出的 NYCIQ 以及 LondonIQ。自 2014 開始，它們推出火柴盒系列的遊戲，目前還在持續增加這個系列的家族成員。

HELVETIQ

稍事休息，晚上和蝦米及朋友們一起到熊公園的餐廳用餐，飯前來幾局吹牛遊戲《骷髏與玫瑰》(Skull)，搭上葡萄甜酒，氣氛相當棒。飯後漫步在老城區中，晚上的伯恩更顯神秘魅力，彷彿隨時都會有騎士還是飛龍竄出，帶點奇幻的中古世紀氛圍；八九點不到商店都已歇息，只剩零零散散的幾家酒吧和飲食店還開著。此時四周已萬籟俱寂，但想桌遊的興味還濃，到家後又來了一盤《阿瑪多拉》(Armadöra)，這是一個抽象棋類遊戲，同樣有吹牛的成分，一盤後雖讓人意猶未竟，但還是得保留體力提早休息，明天參訪有30年歷史的桌遊店是這次來瑞士的重頭戲！

又被桌遊玩—戰利品開箱時間！

● Streichholz Spiele ●

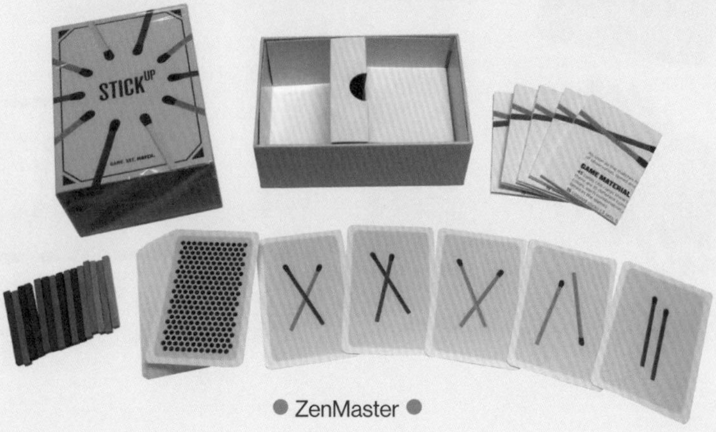

● ZenMaster ●

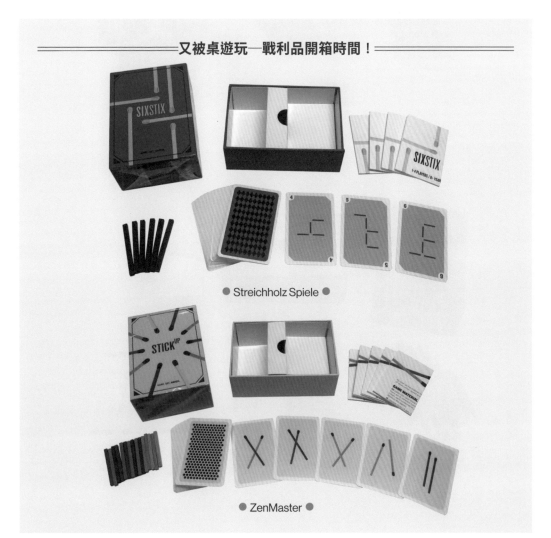

又被桌遊玩─戰利品開箱時間！

● SixStix ●

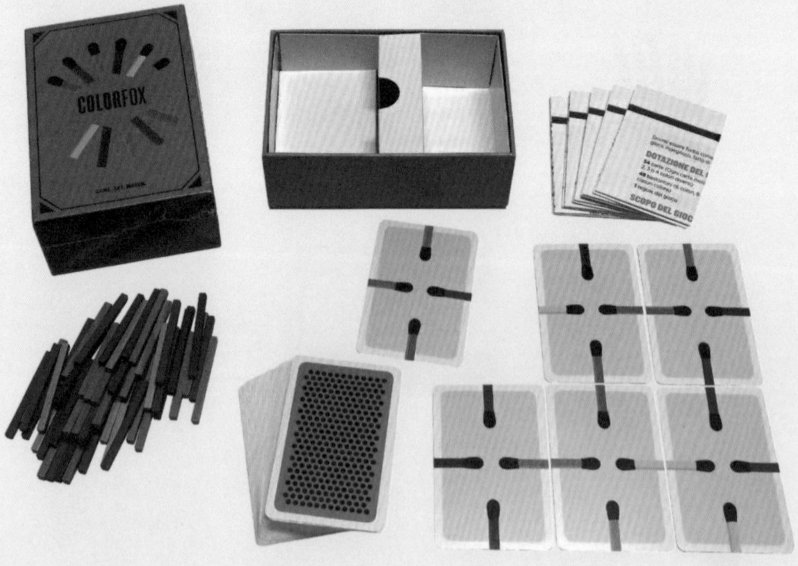

● Colorfox ●

● StickUp ●

● MatchMaster ●

又被桌遊玩—戰利品開箱時間！

● Streichholzrätsel ●

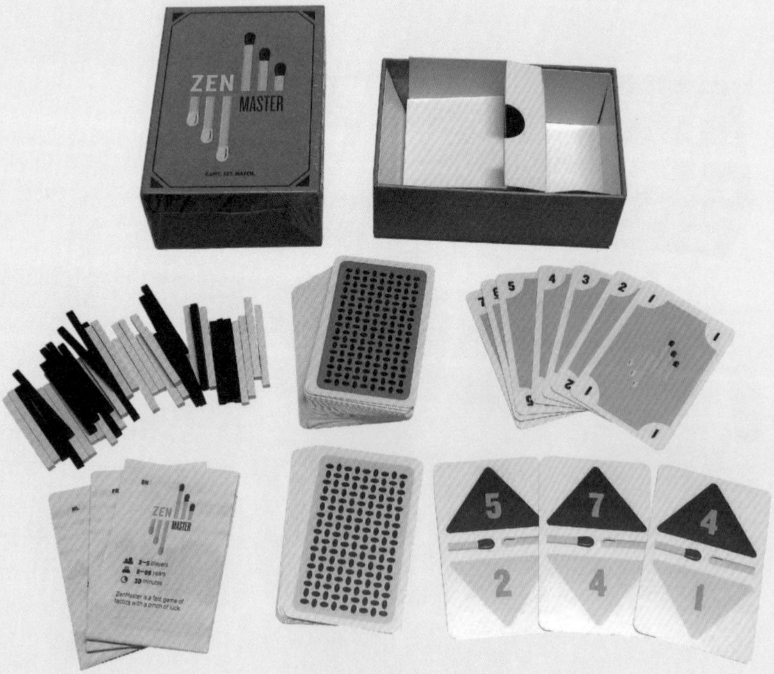

● WonderWord ●

龍穴—桌遊的窩，瑞士桌遊店尋訪

●櫥窗展示著龍穴推薦的遊戲，有發現你喜歡的嗎？●

蝦米之前就有向我提到這家店不定時會辦一些比賽和聚會，同時也介紹一些關於這家店的狀況，因此在來之前就相當期待可以好好參觀。跟隨蝦米的步伐，穿越幾條熟悉的街道，終於來到隱身在其中一條街巷裡的「龍穴」(DracheNäscht)，這是一家在瑞士開業超過30年的桌遊店，同時也是德國經銷暨出版社 Heidelberger

DracheNäscht

地址	Rathausgasse 52, 3011 Bern
電話	+031 311 26 57
營業時間	週一到週三及週五：9:30-18:30 週四：9:30-21:00 週六：9:00-17:00
網站	morgenwelt.org

Spieleverlag的旗艦店，參訪的當時正逢「龍穴」30周年紀念(1985-2015)。從落地窗裡各種物品的擺設，可以感覺得出來裡面的商品相當豐富，是個一待就捨不得離開的地方；的確，你可以在這裡找到除了桌遊以外的商品，漫畫、T恤、科學玩具、運動用品，甚至是風箏都有販售，當你一踏入「龍穴」裏，在你頭頂上盤旋的就是各種各樣奇形怪狀的風箏，令人印象深刻。我想它們是把「遊戲」用更廣義的方式去詮釋，所以把戶外可以玩的都含括進來了。

☀

一進入店內，立刻被整牆的桌遊包圍，整家店的空間是很大的，不過因為放了各種各樣的商品而覺得緊迫，還好櫃檯前的空間留得還算舒適。整家店分為一樓與地下一樓兩層，兩層都有桌遊，但是分類比較不同，一樓多半是常見的熱門遊戲、經典遊戲，地下一樓則以兒童遊戲、集換式卡片以及其它無法歸類的雜物為主。整家店生意相當熱絡，不時有客人進來挖寶，購買風箏、體育用品的人也不在少數。先初步逛過一圈，遊戲多到不知道自己究竟要挑什麼帶回去才好，此時看到櫃台的小哥閒了下來，不如就去跟他攀談幾句，了解一下這家店的熱門品項吧。

●櫥窗展示著龍穴推薦的遊戲，有發現你喜歡的嗎？●

●從門口望進去，你彷彿看到許多寶藏！●

●各形各色的風箏讓整個桌遊店的空間都活潑起來。●

●遊戲種類與品項真的很豐富，需要花上一些時間才能看完。●

●《黑故事》(Black Stories) 在歐洲真的很受歡迎。●

●各種熱門的、冷門的，甚至名不見經傳的遊戲這裏都有。●

●店內有趣的擺設。●

店裡最熱門的遊戲是什麼呢？小哥不假思索的回答，大概就是《狗狗棋》(Dog)、《瑞士牌戲》(Jass)以及《妙語說書人》(Dixit)吧！哇，前兩款都沒有接觸過，《妙語說書人》倒是不意外。《狗狗棋》是一款類似《英國十字戲》(Ludo)—也就是《飛行棋》前身的遊戲，目標都是把己方的棋全數移到終點就獲勝，不過《狗狗棋》是以兩人一組合作的方式進行，過程中透過抽牌來移動或是阻撓對手。《瑞士牌戲》則是瑞士的國民遊戲，自1796年開始從瑞士引進並普遍盛行於德語地區，《瑞士牌戲》是個只用到36張卡片(A、K、Q、J、10、9、8、7、6)的吃墩遊戲，在瑞士，Jass一字不只是《瑞士牌戲》中的王牌Jack的意思，同時也多用來指稱使用這些卡片進行的遊戲，它的四種花色與我們所熟知的黑桃、梅花、方塊、愛心不同。雖然對傳統吃墩遊戲不太熟悉，但是《瑞士牌戲》瞬間給了我一些靈感！帶一些這裡盛行的吃墩遊戲吧，其中一個架子上的確擺滿了各式各樣的傳統吃墩遊戲，例如常見的《雙頭牌戲》(Doppelkopf)以及《斯卡特》(Skat)等，甚至有更多，數十種以上我沒有見過的。這類吃墩遊戲多半算分複雜，當下無法鑽研太多，只能挑圖面喜歡的購買。這一挑還真不得了，每一副的插圖都極美，難以割捨。

●店內販售的《狗狗棋》除了一般常見的版本以外，還有這種精美的攜帶型木製版，不過價格也相當精美….。●

此外在這裡，你會看到相當多《基督紀年》(Anno Domini) 的系列遊戲，仔細回想一下，有買過 ABACUSSPIELE 出版的遊戲也許會有印象，盒子打開後總是會有一包不知道是什麼遊戲的補充包，那就是《基督紀年》。不光是龍穴販售這款遊戲，書店、紀念品店，以及特色商店裡都可能會有《基督紀年》，這是因為設計師 Urs Hostettler 本身是瑞士人，在伯恩出生，曾設計過比較知名的遊戲為《地主》(Tichu)、《克里姆林宮》(Kremlin)，以及當地人相當熟悉的《基督紀年》。《基督紀年》的玩法，幾乎可以看成是《時間線》(Timeline) 系列遊戲的前身，不過這款遊戲至今只有德文版，因此並沒有廣泛流傳。如果你熟悉德文，那

●這麼多盒的《基督紀年》，每盒都是一種主題。●

●發現老遊戲！這種紙盒遊戲真的很難找了，不過這應該只有藏家才會有興趣。●

●店內販售的紙牌遊戲非常多，吃墩遊戲、橋牌類遊戲更是瘋狂的多。●

●更多美術我很喜歡，但是真的沒有見過的遊戲。●

店內挖寶趣！來看看我在這裏發現了什麼......

●這...這不就是小龔的德版《追跡者》嗎？現在還買的到！●

●哇，連《綿羊爭牧場》(Battle Sheep) 的原版 Splits 都有。●

●不愧是骰子熊 Heidelberger Spieleverlag 的旗艦店，連骰子熊為主題的遊戲都有 (現 Heidelberger Spieleverlag 已被桌遊出版巨獸 Asmodee 收購)。●

●看起來很像《五大部落》(Five Tribe) 的遊戲。●

● 2F-Spiele 的遊戲不是只有齊全而已，連 Friedemann Friese 這麼早期的遊戲都有，上面還有印量編號 0241/1600。●

麼選定一個喜歡的主題，帶一副《基督紀年》會是一個很棒的紀念品。

☀

桌遊雖然佔了整家店一大部分，更精彩的其實是其它種類的商品。地下一樓是個把所有族群都匯聚起來的空間，你可以找到漫畫、桌遊配件、魔術道具、拼圖、模型、兒童玩具、科普玩具、同人服飾，以及其它許多有關次文化的商品。一時半刻想要逛完有點困難，因為有太多你不曾見過的奇珍異寶。即使品項五花八門，桌遊還是我的主要目標，我希望不放過任何一個角落，因此花了很多時間在搜尋有趣的桌遊，有的隱匿在抽屜最底層，有的躲在其它桌遊底下，店主人大概也對如此仔細翻找的客人很習慣了吧。火柴盒迷你桌遊是當下最吸引我的商品，仔細翻找籐籃裡不重覆的品項，希望能夠完整收齊，最後總共找出8盒，但我也沒有再詢問是否還有更多，就當作這趟旅程註定只碰到這些遊戲了；結了帳，繼續觀察店裡的一舉一動，並且享受這裡獨特的氛圍，這時你明白，那些龍就是龍穴裡展示的風箏、那些遊戲、那些暫時可以遠離市囂的玩意，我們就像是進來龍穴裡尋寶，滿心期待驚喜的小朋友，總是能在無數的珍寶中發現我們喜歡的那隻龍。

●從這兩個地方可以前往商品更多元的地下室。●

●地下室的空間相當寬敞，與一樓被桌遊包圍給人的壓迫感不同。販售的品項也是五花八門。●

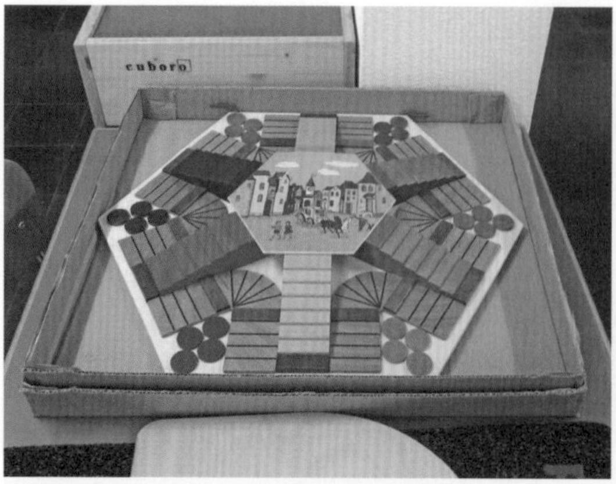

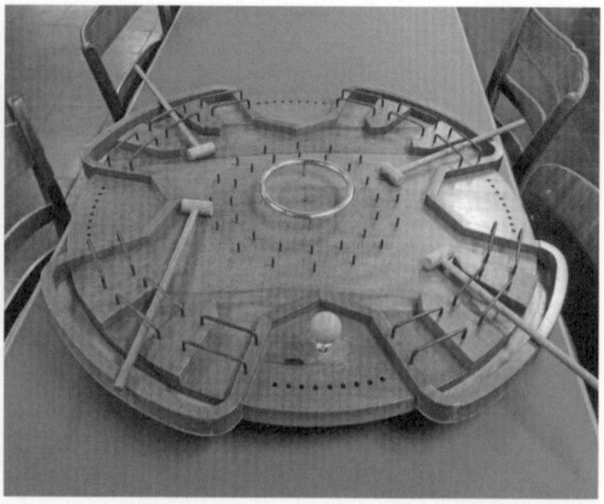

●很想請店員教學放在這裏看起來很特別的遊戲怎麼玩！●

●德國桌遊、玩具大廠 KOSMOS 也有專櫃，太厲害了！●

●當年得到兒童類德國年度遊戲大獎 (Spiel des Jahres) 的《蜘蛛三兄妹》(Spinderella)，遊戲上的立牌很可愛。●

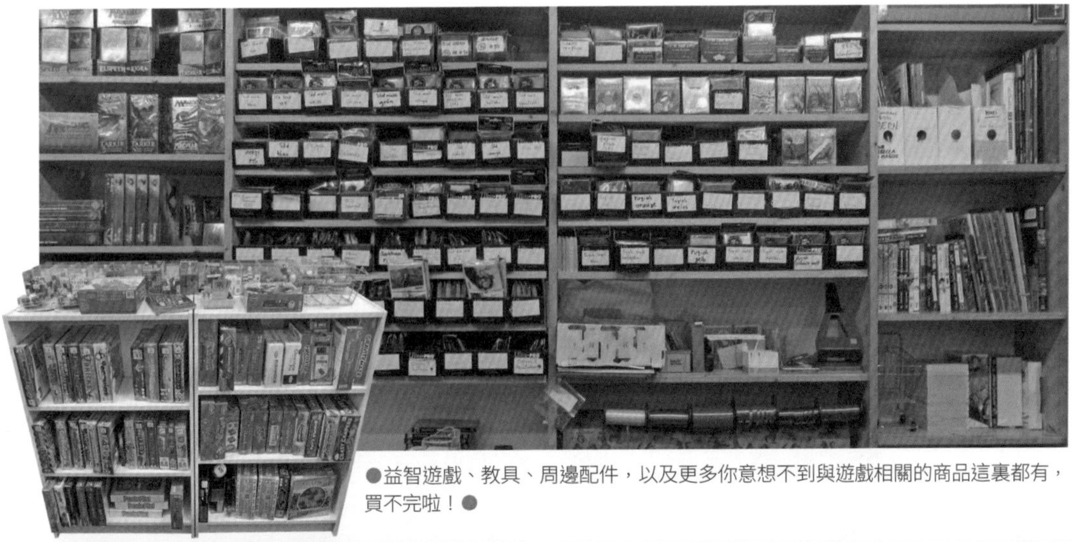

●益智遊戲、教具、周邊配件，以及更多你意想不到與遊戲相關的商品這裏都有，買不完啦！●

●讓我愛不釋手的火柴盒小桌遊。●

●骰子的圖案百百種，最右邊鴨子圖案的黃骰還真是第一次看到。●

●離開前別忘了逛一下店門前的跳蚤市場特賣車，價格絕對有驚喜。●

綠星人的補充說明時間

每盒《基督紀年》(Anno Domini) 有 336 張卡片，卡片其中一面描述一個歷史事件，另一面印有這個事件發生的年份 (有時是特定的日期)。遊戲開始每個玩家會拿到 9 張卡片 (或者想要進行短一點的遊戲，可以使用少於 9 張)。玩家輪流把一張卡片放到桌上，試著把這些卡片以編年史的順序排列。玩家可以選擇不放卡片，改為質疑卡片所放置的順序錯誤。在這種情況下，所有卡片翻開，年份揭曉。如果順序正確，則提出質疑的玩家獲得 2 張卡片並跳過一個回合。如果順序錯誤，那麼前一位玩家，也就是沒有對這個順序提出質疑的玩家，獲得 3 張卡片。第一個出完所有卡片的玩家獲勝。遊戲中，吹牛和知識一樣重要。多數的事件相當模糊而且很難有個準確的日期，所以這不是針對全然了解這個世界的極客所設計的遊戲，即使他們可能會這樣想，因為這裏面充滿了驚喜與全然的樂趣。不過這個遊戲沒有英文版，想要學德文的話倒是個很不錯的素材。這遊戲可以不同版本混用。

●你是否曾在出版社 ABACUSSPIELE 出版的遊戲中發現《基督紀年》的試玩包呢？●

又被桌遊玩—戰利品開箱時間！

吃墩、橋牌類遊戲在歐洲非常常見，因為喜歡的玩家很多，而且也有悠久的歷史。目前所知最早的紙牌誕生於 500 年前左右的德國阿爾滕堡市，那是一款叫作 Rumpf-Karten 的遊戲，紙牌的流行也與當時的印刷技術興起有關。紙牌的風格多以裝飾性插畫為主，卡片上描繪市井小民的日常景象，有些也呈現貴族的生活。《斯卡特》(Skat) 是這些紙牌當中最受到歡迎的其中一款，這遊戲同樣也來自阿爾滕堡市，不過現今你可以在歐洲或是德國各地的商店發現這款遊戲。龍穴裡的品項相當齊全，裡面也不乏精美逸品，來到這裏一定要好好挑個幾副。

●店內搜刮的吃墩、橋牌類遊戲，大部分的玩法我不明白，不過我以卡牌美術喜歡的著手，準備帶回家研究一番。底下挑幾款個人覺得漂亮的開箱。●

● Mlle Lenormand Cartomancy Deck ●

● Rommé ●

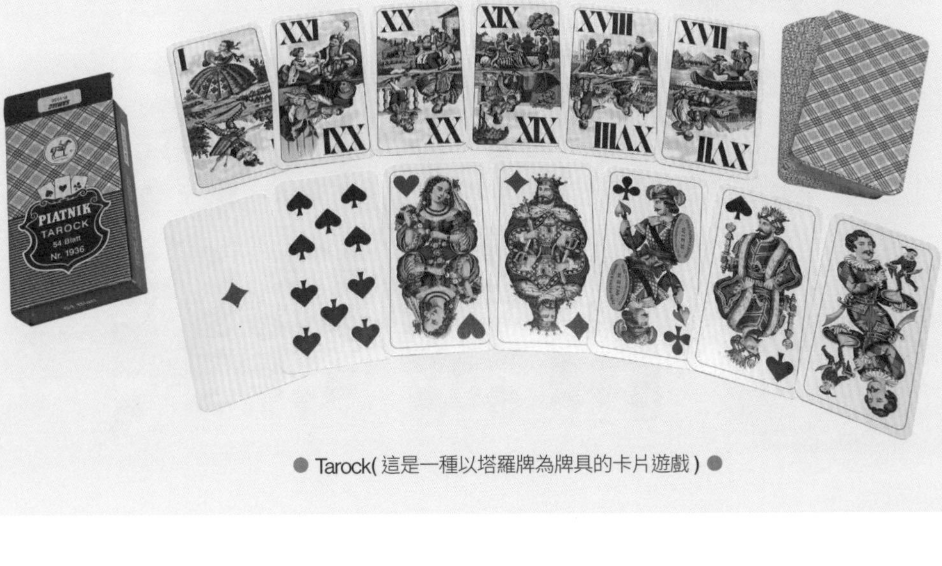

● Tarock(這是一種以塔羅牌為牌具的卡片遊戲) ●

又被桌遊玩—戰利品開箱時間！

● Trevigiane ●

● Peter Pan Card Game ●

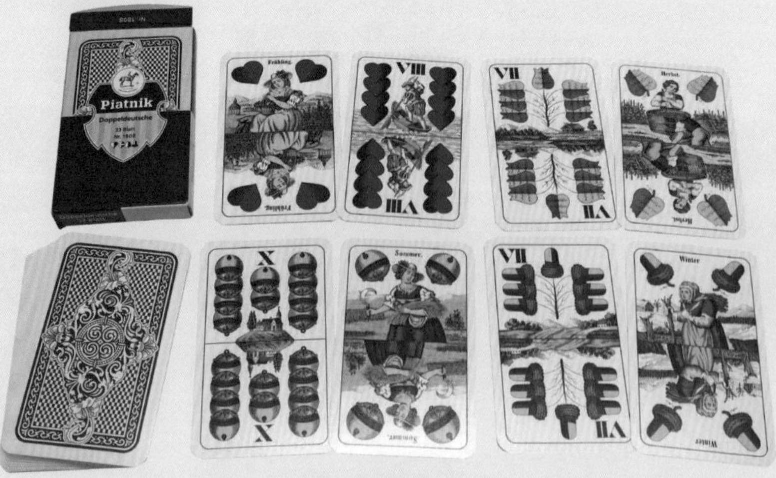

● Doppeldeutsche ●

火柴盒系列桌遊是德國出版社 Bartl GmbH 推出的木製遊戲小品，多半是經典遊戲的縮小版，從官網資料得知目前這系列共有 19 盒，不過根據我在其它國家找到的火柴盒遊戲來看，應該不只網站上所列的。

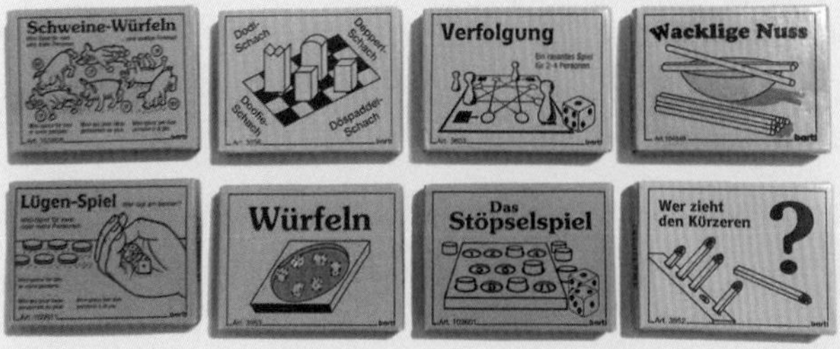

●店內搜括的 8 種火柴盒小遊戲。其實還有白色的火柴盒遊戲，不過那個比較偏益智玩具，不是桌遊。●

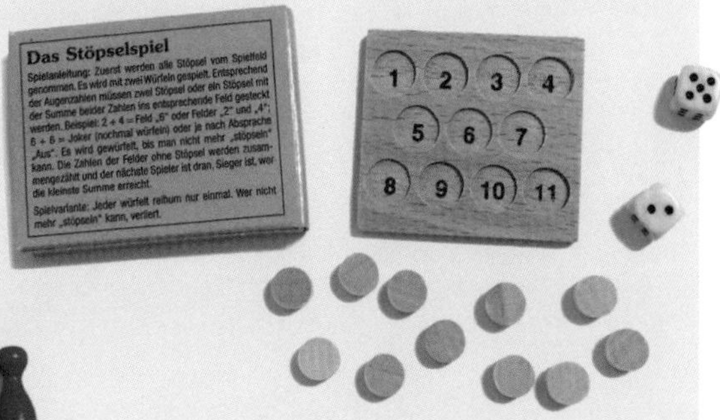

● Das Stöpselspiel ●

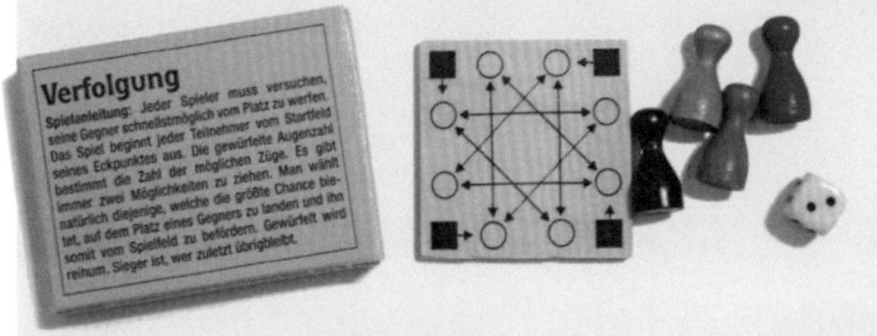

● Verfolgung ●

● Wer zieht den Kürzeren?(有趣的木製小火柴盒，誰抽出的最短呢？) ●

●其它盒所有內容物。●

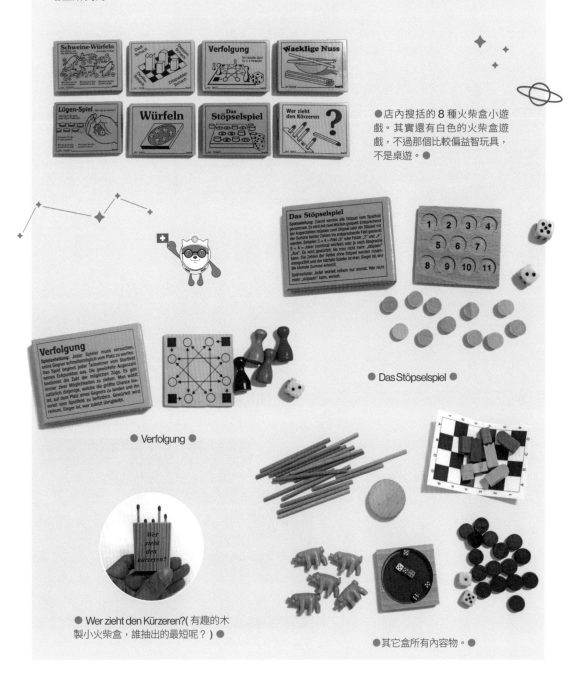

郊外、博物館、藝廊，也及桌遊

原本打算要去登少女峰，但是氣候不佳，我們決定去離市區約 20 公里的古爾騰山，你可以在那裡滑雪、野餐、郊遊，以及騎自行車等；古爾騰山是當地家庭出遊放鬆的好去處之一，有時夏季的音樂節也會在那裡舉辦。坐上路面電車，不久就抵達目的地；買了登山票，乘著登山列車前進，遠方的

●古爾騰山是個放鬆休閒的好去處，時間允許的話可以在這裏野餐、玩桌遊。●

●心血來潮寫生，可惜天氣不夠好。●

森林和草皮不時地被雲霧所吞沒，陽光從葉縫和雲霧中透出，場景看起來相當魔幻。我們找了一個小山坡吃早餐，早餐後我也在那裡進行速寫，想透過照片以外的方式留下這些漂亮風景的身影。

☀

山上的遊樂區已經開始聚集一些家庭，小朋友開心的玩著小汽車和遊樂器材，大人則在旁邊照看。這時遊樂區旁發現了一個巨型的《九子直棋》(Nine Men's Morris)，沾著潮濕泥土的黑白棋子散落一地，我們決定立刻來場「戶外桌遊」。

《直棋》歷史悠久，最早於西元一千四百年前的古羅馬就有相關的記錄，除了《九子直棋》以外，還有三子、六子、十二子等更多變體和玩法。《九子直棋》的目標是讓對手無法移動或是棋子少於3個就能獲勝，遊戲過程中玩家輪流下棋，只要有3個相同顏色的棋子連成一線，就可以移除對手的一個棋子。

●從這裡搭纜車上下古爾騰山。●和蝦米來一場《九子直棋》對弈，放哪裡才能移除他的棋子呢？●

●喜歡歷史與文物的話，別錯過參觀伯恩歷史博物館（愛因斯坦博物館）的機會。●

雖然天氣寒冷潮濕，但是腦袋可不能跟著凍僵，一場激烈的賽局就此展開；戶外踏青還能玩桌遊真是個超棒的點子，可惜那裡沒有找到更多的棋盤了。對弈結束附近晃晃，一路上看到許多《瑞士牌戲》聚會的廣告，我們也在附近的旅客中心拿了一些傳單，看來如同之前龍穴桌遊店的小哥所說，《瑞士牌戲》是瑞士相當知名且受歡迎的吃墩遊戲可是一點也沒錯。假如我沒有先到龍穴得到有關《瑞士牌戲》的情報，看到《瑞士牌戲》的海報時，也許我就只會匆匆一瞥；我想，只要「想桌遊」的心一直在，戶外隨處都能發現桌遊的身影！

☀

此趟待在瑞士的旅程只剩最後一天，按照自己預訂的行程前往博物館和藝廊，想看看當地的藝術與文化發展，更多的是期待這裡會有桌遊的身影，根據過去的經驗，這些地點通常也會發現相當特別的桌遊，而且這些桌遊一般觀光商店並不會販售。雖然有很多地點可以選擇，不過大部分的藝廊和博物館相當分散，在時間有限的情況下，我決定到阿勒河外部的博物館街附近晃晃，那裡有伯恩自然史博物館、伯恩歷史博物館（愛因斯坦博物館）、瑞士阿爾卑斯博物館、通訊博物館，以及隱藏在小街巷裡的藝術空間，每個地點的展出都相當豐富，可以逛上一整天。

伯恩歷史博物館（愛因斯坦博物館）

地址｜Helvetiaplatz 5, CH-3005 Bern
電話｜+41313507711
營業時間｜週二到週日：10:00-17:00（週一公休）
網站｜www.bhm.ch/

●中古世紀主題的桌遊和模型玩具都放在同一區。●

●禮品區仔細看的話，會發現許多地方藏著桌遊，如圖中的《街口》(Machi Koro) 這款遊戲，你有發現在哪裡嗎？●

●和印第安有關的書籍旁，擺置著美洲原住民拉科塔的同名主題遊戲《拉科塔》(Lakota)。●

除了具有知識性的展覽值得一看，禮品店也是各博物館必逛的目標。首先進入伯恩歷史博物館，一進大門就是禮品區，果不其然在這裡發現一定數量且特別的桌遊！有的桌遊搭配歷史主題併排放置，相關的商品也放在一旁，可以看出館方為這些商品所找出的關聯性為何。一旁中古世紀主題的展示架上擺了許多熱門的桌遊，像是《卡卡頌》(Carcassonne)、《雙陸棋》(Backgammon)，以及《安道爾傳奇》(Legends of Andor)等，這些桌遊和相關背景的服裝、模型擺在一起，看起來相當具主題性。此外還有更多過去不曾看過的桌遊，擺置在不起眼的架子中，有的桌遊甚至還放在不相關的產品之下，挖寶的趣味就更濃厚了，我整個像是激起童心和購買欲望，四處翻找這些特別桌遊的身影，當然最後也帶了不少離開。

伯恩歷史博物館的斜對面就是瑞士阿爾卑斯博物館，你沒想到的是這裡也有桌遊！這裡販售著 franjos Spieleverlag 出版社最新版本的《欲罷不能》(Can't Stop)，過去原本這款遊戲的舊版本一直都是以登山作為主題，相較新版只有交通錐和方格棋盤的版本更有代入感；這個最新版本維持登山主題，美術看起來更童趣，一盒售價為30瑞士法郎，如瑞士的物價一點也不親民。此外這裏也有販售一些登山相關的小玩具，桌遊相對較少，不過能在這裡發現這麼特別的《欲罷不能》已經令人滿足。

此時附近的藝廊晃完後，時間開始緊迫，而且遇上超大豪雨，阻礙前行；衝忙走進更遠的伯恩自然史博物館，期待著會發現特別的科普桌遊，可惜失望了。不過來這裡有個最想看的展覽，那便是常設展—「救難犬巴里」(Barry)。巴里是阿爾卑斯山聖伯納德修道院的一隻救難犬，19世紀時在一次的災難中拯救了40人而受到人們敬重和愛戴。牠的脖子上會掛著一桶酒，這樣在搜尋到生還者時可以讓他們先喝酒免於失溫，這樣的形象也因此根植民心。我想著，有關巴里的故事還蠻適合入題桌遊，不過現場頂多只有巴里的玩偶和模型，也許哪一天會激發設計師設計一款相關的桌遊吧。

瑞士阿爾卑斯博物館

地址 | Helvetiaplatz 5, CH-3005 Bern
電話 | +41313507711
營業時間 | 週三到週日：10:00-17:00
週二：10:00-20:00
(週一公休)
網站 | www.alpinesmuseum.ch/

想知道更多？ —《欲罷不能》最新版本

《欲罷不能》是一款風險評估類型的遊戲，玩家在遊戲中得用骰子組合出可以存放的點數，並且盤算提升哪些點數列不會讓下一輪有爆掉的情況發生；遊戲比誰先完成三個點數列就獲勝。(圖片來源：出版社 franjos Spieleverlag)

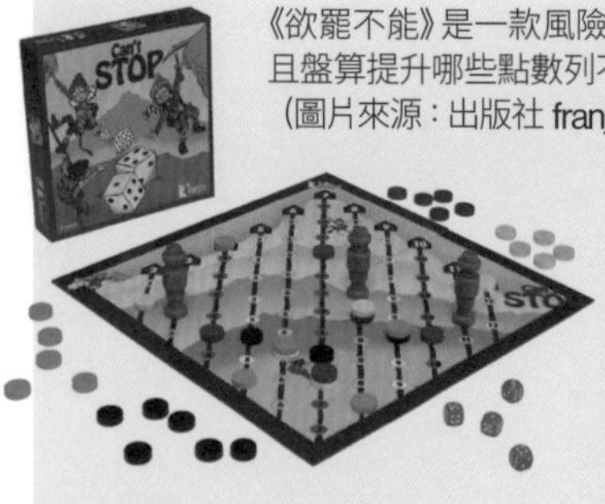

2011 年版的《欲罷不能》。

2017 年版的《欲罷不能》，同樣是登山主題。

圖板背面是夜晚插圖，這是最新版才有的設計。

●救難犬巴里特展是相當值得一看的展覽！期待有設計師設計相關主題的桌遊。●

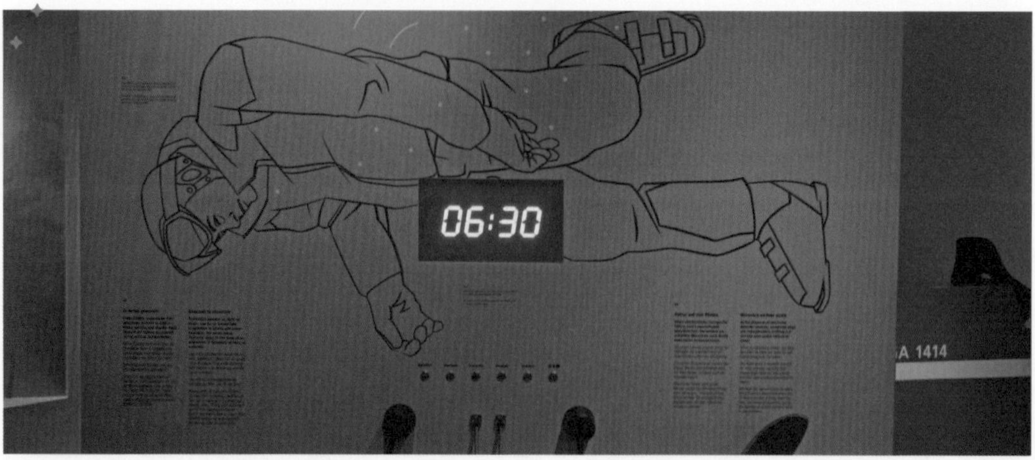

●伯恩自然史博物館的特展一覽。●

●如果你喜歡模型，而且也希望為自己自然、生物主題的桌遊添點樂趣，伯恩自然史博物館內販售的模型你可能會愛不釋手，但是價格同樣很不親民⋯⋯●

離開博物館，搭路面電車顛簸回市中心，一路上覺得這趟瑞士之旅收穫滿滿，雖然瑞士還有好多個重要城市沒去，但至少光伯恩帶來不少驚喜—帶著桌遊的心，四處都能看見桌遊。此時我得趕緊收拾行囊，德國埃森桌遊展已經在等待，每次總是在那慌張的月台，選擇了驚險時刻跳上列車。時間是晚上六點，一上回德國的列車就不太能睡，直覺告訴我的，向來直覺都很準。車掌走來丟了幾句德文，但我聽不懂，只好立刻從口袋拿票給他看。他看了我一眼說：「講英文是吧？」，然後又一臉苦惱說：「這班車沒有到埃森喔」：瞬間心涼了一半……那麼，它會開到哪？後來停的幾站都確認沒錯，甚至到杜賽道夫停站，我就有點放心睡了，莫名的以為車掌在開玩笑；期間車掌還笑笑的發給我軟糖，彷彿要讓我安心，誰知杜伊斯堡一過，列車就直直開往終點站，真的略過埃森了！當下覺得天氣變超冷，服務台裡的暖氣開超兇，問完折返的列車，只好一旁乾等列車開。正覺得今天大概就這樣的時候，一個超像哈利波特裡那位海格的流浪漢一直形影不離……這下我連廁所都不能上了，隔天就是埃森展的暖場日和媒體日，我該怎麼辦？

═又被桌遊玩─戰利品開箱時間！═

●《大樹與小樹》(Der große und der kleine Baum) 是單人遊戲，遊戲中要拼接出合理的樹的姿態相當不容易。●

●《大樹與小樹》的出版社 F-Hein-Spiele 出版許多板塊拼放、圖像拼接類型的遊戲；現場除了販售《大樹與小樹》以外，還有 Mandala、Die Hausnummern von Samarkand 等遊戲。●

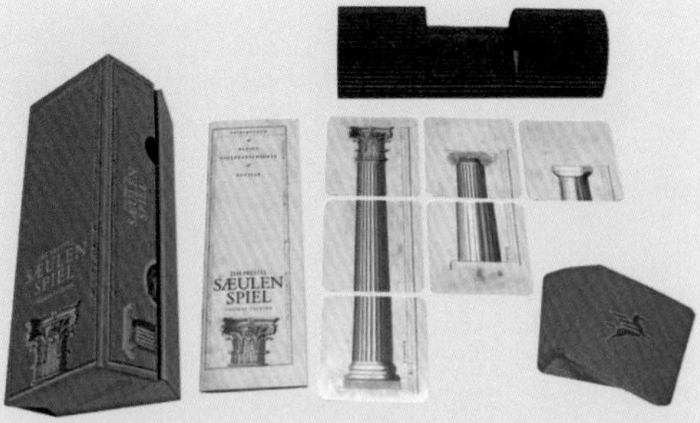

●《阿耳忒彌斯之柱》(Das Prestel Säulenspiel) 是一款有關古希臘三柱式 (多立克柱式、愛奧尼柱式、科林斯柱式) 的遊戲，不僅美術典雅漂亮，包裝也很有質感。●

放桌遊的心一個假，匆忙旅程的驚喜

時間過得很快，距上次到伯恩又過了快一年，這次一樣在埃森展前拜訪蝦米，順道繼續探索未完的瑞士之旅。瑞士幾個大城，例如蘇黎世和日內瓦，想必一定有值得一訪的桌遊店和出版社，不過每次時間的安排都不順，我只能再次停留在伯恩，看看是否會有更多有關桌遊的驚喜。

這次我決定先前往上回因天氣差而沒有攀登的少女峰。如同一般登山前的準備，在上少女峰之前一定要做足詳細的路線規劃，同時一些登山的配備也得準備齊全；原本期待在少女峰上來盤登山類的遊戲，但不知怎麼的，突然覺得應該要好好沐浴在大自然中，暫時放自己桌遊的心一個假。

對於要登上號稱 Top of Europe 的名峰之一，興奮程度不在話下，腦中也不停回放曾經玩過的《K2》等登山遊戲的過程，突然覺得這些模擬真實情境的桌遊真的很棒，至少它們讓我能夠先預想可能會遇到的問題，以及解決的方法，就如同擬定一個遊戲的策略一般，因此很快的我便完成路線接駁以及登頂目標所採用的行動，只希望那些無法預測，只能透過抽牌、擲骰的隨機事件不會破壞這次完美的得分路線。

我起了個大早，因為我的路線安排一如我習慣的緊湊，上午少女峰、下午格林德瓦 (Grindelwald)，一般來說這樣的行程會分兩天以上進行，但是我必須達成一日完成這不可能的目標。路線的規劃基本上不會有太大問題，主要是瑞士的交通費相當昂貴，如果沒有事前買好半價卡或是特價票，我想那金額已經可以讓你買好幾套登山遊戲。從伯恩火車站坐火車到因特拉肯東部 (Interlaken Ost)，大約只需要一個小時的車程，按照查好的地圖走，

●從這裡進入「阿爾卑斯山震撼體驗」的展館探索，這個狹長的走廊可以讓你了解當初少女峰鐵路誕生的過程。●

展館裡這張圖仿畫自德國浪漫主義畫家卡斯巴•佛烈德利赫的《霧海上的旅人》，這是否讓你想起 Eagle-Gryphon Games 出版的 Fantastiqa 這款遊戲呢？

●歐洲屋脊就在這了！●

以及不同登山路段的接駁車有銜接好，到少女峰並不是一件難事。從小夏戴克轉運站到少女峰站的少女峰鐵路，修築始於1896年，途經艾格峰與僧侶峰，短短約9公里的路程爬升1400公尺，可以堪稱是高山鐵路的傑作。為了讓乘客適應高海拔，途中會在艾格峰岩壁以及冰海隧道停留一陣子才繼續上山，乘客可以下車欣賞壯麗的冰河高山景色。隨著列車往高處挺進，你已經可以感受車外溫度逐漸下滑，等到達少女峰站時，你必須再加件外套並戴好手套才行。

少女峰站是歐洲海拔最高的車站，從這裏開始出發，你離少女峰僅幾百公尺之遙。整個峰頂休息站規劃的很好，你可以在這裏了解關於少女峰、瑞士山峰、氣候、地理，以及歷史的發展，同時還有令人興奮的各種極限運動可以進行。同樣的，每到一個景點，禮品店絕對不能忽略，一定要留點時間晃晃，儘管這裏販售的任何商品都貴得不像話，例如食物的部分，最好在山下就先購買一些輕食帶著，光是一碗小杯的辛拉麵這裏也要賣10瑞士法郎（折合台幣約330元）！但是看著一大群的韓國觀光客人手一杯，加上天氣凍得讓人受不了，原本打定主意絕對不買辛拉麵的我還是折服了。我心裡其實盤算著會有瑞士旅遊局推薦的《瑞士之旅》(Tour of Switzerland)可以購買，不過仔細找了好多個禮品店都沒有發現；正當自己迷失在找尋桌遊身影的時候（才打算要放下桌遊的心，沒想到還是破功了），我警覺時間已經快要不夠我到格林德瓦，所以二話不說直接前往少女峰頂，並在那裏留下對我來說相當珍貴的回憶。

想知道更多？—《瑞士之旅》是一款什麼樣的遊戲？

從阿斯科納山、皮拉圖斯山，到策馬特山……你可以探索瑞士的阿爾卑斯山！這是一款於2001年推出的擲骰移動遊戲，至今已經發行多種版本。遊戲中每個玩家扮演要完成指定秘密任務的遊客，途中必須護送國會議員或者完成其它任務，玩家得依靠滑雪小屋看守人的幫助途經各種地形，例如冰川、高山等。不過玩家得注意，如果把錢和燃料用盡可能會阻礙旅途的前進，讓任務失敗。除了遊戲本身的目標以外，它還能讓玩家了解瑞士的地理、歷史與文化相關知識。

（圖片來源：出版社 Carlit）

時間才下午1點，但是從小夏戴克轉運站到格林德瓦需要花上一些時間，如果沒有準確銜接好接駁車，我可能來不及上費爾斯特山(First)。糟糕的是，我原本預料登山纜車會在下午5點半才關，沒想到因為天氣因素，當天的纜車在4點半就結束；當我到費爾斯特山腳時，時間已是2點半，也就是說我只剩2個小時的時間可以完成整個旅程！一路上我奔也似的往前進，拖著疲憊不堪的身體，頻頻詢問迎面而來返程的登山客，究竟巴克普湖(Bachalpsee)還要走多久才會到。最後當我抵達巴克普湖時，我已經沒有時間停留太久，照片拍得差不多後就得下山，否則摸黑途步下山相當不妙。基本上一日之旅，一路和時間賽跑是一件可以預想得到的事，不過我對結果相當滿意，有正確的起始設置，遵守規則並規劃好行動策略，還是能有不錯的成績。

可能累得不夠，隔日我又飛也似的到跑來盧森(Luzern)；這裏有三大名山，分別是鐵力士山(Titlis)、瑞奇山(Rigi)和皮拉圖斯山(Pilatus)，而我的目標就是有「龍的巢穴」之稱的—皮拉圖斯山。這裏是瑞士一處具傳奇色彩的地方，同時也有許多關於龍的傳說和故事，這時我不禁想起伯恩那家龍穴桌遊店，是否就是從這裏發想來的呢？

在出發前往盧森前可以於火車的服務櫃台詢問盧森的黃金周遊卷，這個周遊卷包含了上下皮拉圖斯山的列車和纜車、遊船，以及市區巴士等交通的費用，除了可以省下一些錢，也省去了研究路線的時間。櫃檯的小姐建議我，從盧森湖的遊船開始整個旅程，然後於遊船的碼頭終點坐列車登上皮拉圖斯山，最後坐纜車下山並搭乘巴士遊整個市區，這的確是個非常棒的規劃。天氣相當好，前往皮拉圖斯山的遊客也絡繹不絕，跟著一群人登上遊船後，終於可以放鬆欣賞盧森這美麗的小鎮。遊船上除了道地美食以外還有販售簡單的桌遊，我沒有想到，對呀，這裏應該也要販售一些桌遊才對，不然這麼長的船上時間除了欣賞風景還能做什麼？不過我沒有看到遊客在玩桌遊，倒是船上的咖啡吧生意還不錯。

●巴克普湖的優美景致讓人流連忘返。●

●菲斯特山有許多極限運動客在這裡做像是滑行傘的運動。●

●盧森是許多遊客到瑞士的必遊景點之一。●

●除了在遊船上玩桌遊，別忘了欣賞船外的風景！●

●當下立刻把所有有關桌遊的品項買齊，不過我在船上找不到想一起玩的朋友……●

●登船囉！遊船上販售的紀念品，別忘了帶一些桌遊走。●

船上販售的遊戲分別是撲克牌、Assano，以及法語版與德語版的《瑞士牌戲》，這時我才知道原來《瑞士牌戲》還有不同語言版本的差別，從牌面來看應該是花色的差異。除非你本來就懂規則，否則《瑞士牌戲》可能需要懂橋牌、吃墩遊戲的朋友來帶才能玩，不過這個Assano絕對是最親民的一款，因為它是歐洲版的Uno！Assano有輕量版的，不過船上販售的則是一般版本，與原本的Uno無異；然而輕量版與一般Uno的牌不同的地方，除了牌數較少更輕量以外，一副Assano的牌沒有0，也沒有四色罰抽4張的牌，而是改為四色罰抽2張的牌。當然以上這些遊戲，你在瑞士的桌遊店都可以買到，但是遊船上販售的版本，牌背都印有盧森湖的景色，我想這會是一個相當特別，可以收藏也可以玩的紀念品。

綠星人的補充說明時間

由於地理位置，瑞士人主要會說法語、德語，以及義大利語這三種語言。然而因為鄰近不同國家，不只語言受到影響，文化表現上也有些微不同，尤其從遊戲牌的花色可以看出遊戲的地域性。例如瑞士的國民遊戲—《瑞士牌戲》，就有分為 Swiss-German、Swiss-French，以及 Austrian 這幾種，使用的花色也會有所不同。以 Swiss-German 的《瑞士牌戲》來說，花色就會是黃玫瑰、盾牌、橡果，以及鈴鐺，與我們熟知的黑桃、紅心、梅花，以及方塊非常不同。

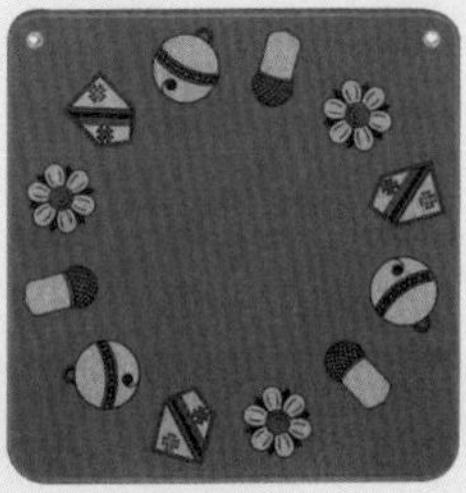

●德語版《瑞士牌戲》會出現的花色。●

●法語版《瑞士牌戲》會出現的花色。●

(圖片來源：出版社 Carlit)

又被桌遊玩—戰利品開箱時間！

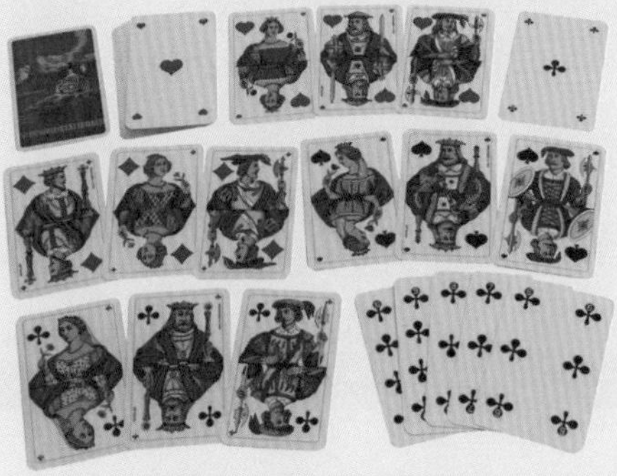

●法語版的《瑞士牌戲》。●

●德語版的《瑞士牌戲》。●

●數字就印在花色上，特別又可愛。●

● Assano 上的牌面設計很童趣。●

上皮拉圖斯山的鐵道是世界上最陡的鐵道，它的傾斜率有48度，不過實際乘坐時你不會覺得有這麼陡。從皮拉圖斯山你可以眺望美麗的阿爾卑斯山峰群，峰頂不定時還會有表演者演奏阿爾卑斯長號(Alphoin)，是個相當值得一遊的景點。除了皮拉圖斯山，小鎮市區的景點還有著名的教堂橋(Kapellbrücke)、垂死獅子像(Löwendenkmal)、冰川公園(Gletschergarten)，以及瑞士最多人參觀的博物館—瑞士交通博物館(Verkehrshaus der Schweiz)，當然在這個博物館中你很可能會發現許多與交通主題有關的桌遊，不過這個地方離市區比較遠一點，我在時間有限的情況沒有辦法前往。雖然少了一個重要景點，但是這裏的郵局意外的給了一個驚喜。

●世界上最陡的鐵道就在皮拉圖斯山。●

●下山坐纜車需要很大的膽！●

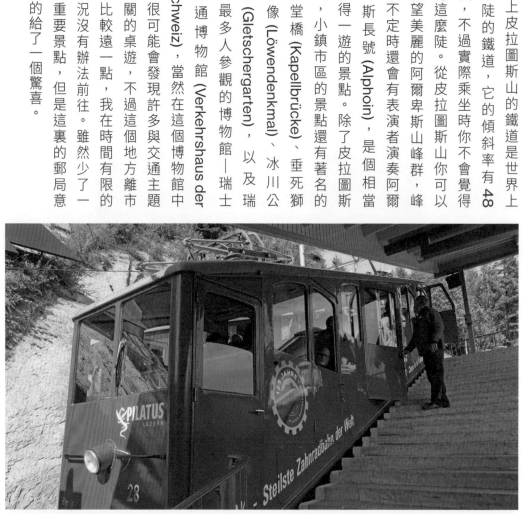

●皮拉圖斯山的壯麗風景令人心曠神怡，還能遠眺阿爾卑斯山脈群。●

●皮拉圖斯山頂的禮品店，除了瑞士三角巧克力以外，也能發現跟瑞士有關的撲克遊戲。●

●冰川公園裡的博物館有相當豐富的地理與歷史資料。●

●這座紀念在 1792 年保衛巴黎杜伊勒里宮的戰鬥中的約 1100 名瑞士僱傭兵的雕塑作品—垂死的獅子像，馬克 · 吐溫曾說它是世界上最感動人的石像，上面的拉丁文刻著「「獻給忠誠和勇敢的瑞士」。●

●沒辦法到西班牙看真實的阿蘭布拉宮嗎？冰川公園旁的迷幻鏡像館會帶給你不同的體驗。●

時間接近傍晚，盧森一日遊也到了尾聲，車站附近的郵局非常漂亮，想想離火車出發還有一段時間，便走進去參觀。除了一般人喜歡寫當地明信片寄給家人、朋友以外，我自己還有集郵的興趣這個因素，因此幾乎每到歐洲一個國家，我就會到當地郵局晃晃，購買一些這個國家發行的郵票。推開門，郵局的內部裝潢非常古典，甚至混搭一點新藝術的裝飾性風格，你有一種走入不同時空的感受；正打算來問問有沒有太空主題的郵票時，一架一架層板上的桌遊吸引了我的目光！

●盧森市區的一些商店可以發現桌遊的身影，而且還不少！●

●郵局內部令人驚艷的裝潢。●

●郵局裡販售的桌遊多以瑞士觀光導向，或是親子、兒童遊戲為主。●

盧森郵局

●盧森火車站附近的郵局，裡頭居然販售不少桌遊！●

地址｜Bahnhofplatz 4, Annahme, 6003 Luzern
電話｜+41848888888
營業時間｜週一到週五：7：30-18：30
週六：08：00-16：00 (週日公休

仔細尋找一下還發現這裏的桌遊真不少，而且品項與一般桌遊店非常的不同。不知道是否郵局有自己對客群的設定，這裏你可以發現的遊戲都以家庭、兒童類型為主。除了針對以上族群的簡易卡片遊戲（當然國民遊戲《瑞士牌戲》一定會有，甚至還有別的地方找不到的兒童版《瑞士牌戲》）以外，還有相當多以瑞士為主題的桌遊，可以看出它們對瑞士觀光的推廣發揮到極致。由於攜帶性的考量，我捨去那些大盒的桌遊，買了一些小盒的卡片遊戲，買這些遊戲我想主要也不是玩，而是紀念吧。走出郵局大門，等候的火車已經在催促我加緊步伐，我想下一站還會有更多驚喜。

●附近的小店晃晃都會有許多驚喜，來看看架上賣著什麼樣的桌遊……●

●除了瑞士本地的遊戲，有些北歐主題的小店也會販售來自北歐的桌遊，不過大多以家庭、兒童遊戲為主。●

又被桌遊玩—戰利品開箱時間！

●這次從盧森郵局帶的三款卡片小遊戲。●

● Rüebli-Monster ●

● Nautico ●

● Chinderjass & Tschau Sepp 裡頭含有兩款遊戲，其中一款就是兒童版的《瑞士牌戲》！規則更簡單易學，卡片的圖案也把黃玫瑰、盾牌、橡果，以及鈴鐺做了更有趣的設計，比如橡果當然就由松鼠來拿囉。●

想知道更多？ —什麼是 carta.media ？

carta.media 是瑞士當地的出版社，以出版卡片遊戲、桌遊和拼圖為主。除了原本生產的品項，它們也接受客製化製作桌遊商品，比如使用玩家自己照片的《釣魚遊戲》(Memo)。它們販售的商品 BGG 網站上找不到資料，而且也沒有英文說明，只有德文規則可以看。除了遊戲以外，一些周邊也很值得購買，例如《瑞士牌戲》專用的桌布，以瑞士的牛、山脈以及剪紙的意像設計的圖案非常漂亮。有興趣可以到它們的官方網站晃晃。
https://www.carta-media.ch/

(圖片來源：出版社 carta.media)

France

相約艾菲爾鐵塔，走不完的桌遊之城

巴黎，人們多稱它為浪漫花都，但是我會改稱它為桌遊之城。說到桌遊，你會想到德國，當然德國可以說是歐洲的桌遊中心，當地現代桌遊的發展已經有一定的規模，也有深厚的歷史淵源，但是你也絕不能小覷法國的桌遊工業。

提到法國，你想到艾菲爾鐵塔、凱旋門，以及巴黎聖母院等知名景點，每年吸引大量的觀光客駐足，但自從恐怖攻擊發生後，整個巴黎的遊客稍有銳減。也許你因為恐怖攻擊而對是否到法國觀光有所顧忌，不過當地人或者應該說整個歐洲，對這樣的事件並不畏懼，一來到巴黎市區，你可以立刻感受到輕鬆的城市氛圍，很快地你也會開始放鬆，然後浪漫地在塞納河畔旁的咖啡廳來個下午茶，當然，觀光景點的駐警會比較多一些，而且不時有搶劫與偷竊的事件發生，還是得保持警覺。

我得說，我就是那個沒有保持警覺的人。也許巴黎就是要被圍一次才算有來過，原本以為旅程都超順利，沒想到栽在往聖心堂的路上；一群黑人突然圍住我，心想好吧，認了，就讓你們綁手環在我手上吧，也許對他們來說這是一種這個人有沒有搶過的標記；我表明身上只有零錢，其實擔心的是另一個口袋裏的五百歐元，我盡可能保持冷靜。周遭沒人，頓時才發現讓自己陷入這種困境。我當下心裏想的是，在印度的時候有人為我戴上祝福的拉奇手環，免費；在法國，我硬是被綁上手環，還是用很多零錢「買」的，不知道為什麼還有心情調侃自己，當下其實情緒很複雜；他們幫我綁的這條編的太簡陋，但我居然期望他們能編得多好！後來想想，它其實還是帶給我一些好運，因為至少我不會再碰到比這更慘的事了。

●這樣的金屬幣機台在聖心堂總共有 8 台，購買方式就像是扭蛋一樣，投入 2 歐元就會掉出一枚。原本只打算扭一枚當紀念的我……●

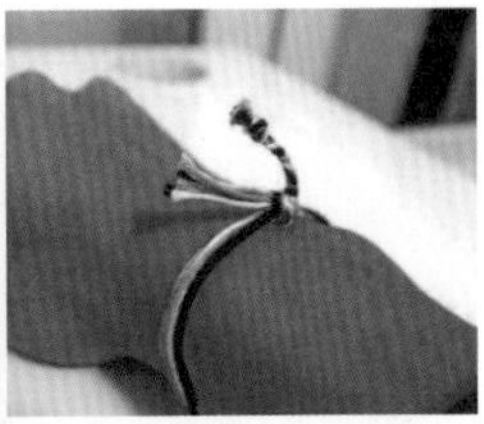

●自從被綁上手環後，我整趟旅程都帶著它，就像是護身符一樣，希望不會再有更糟的事。●

●聖心堂內部的壁畫。●

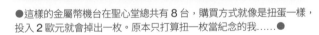

●從聖心堂的高塔往整個巴黎市區看。●

甩開他們但還沒有回過神，我人已經在聖心堂裡面。雖然我沒有任何的宗教信仰，但還是心裡默禱希望接下來的一切都很順利。也許有點受到驚嚇，我並沒有很認真的在觀賞聖心堂裡的一切，不過裡頭的金幣販賣機到是相當吸引我。每一枚金幣2歐元整，我有點失心瘋的收齊了現場8種機台的金幣，就像是扭蛋一樣，收齊一套總是我會做的事。桌遊裡有許多會用到錢幣的場合，我就是這麼打算的，不過到底要用在哪一款桌遊上一時也沒有

聖心堂

地址	35 Rue du Chevalier de la Barre, 75018 Paris
電話	+33153418900
營業時間	根據參訪地點有不同的時間
網站	www.sacre-coeur-montmartre.com/

點子，那就備著吧；我知道，我只是在合理化自己的衝動購物。除了金幣，你會發現禮品店裡也有桌遊的驚喜，這款《聖經故事的千里路程》(Les 1000 bornes de la Bible) 就是一例。這是聖經版的《一日千里》(Mille Bornes)，它使用《一日千里》這款遊戲的變體規則，玩家的目標是要打出一系列的聖經故事來取分，比如摩西、應許之地，以及新的先知等，每個系列可以得到特定的分數，遊戲會玩數局直到有玩家達到五百分後結束。它的卡片設計非常漂亮，同時你可以藉由它來認識一九七〇年代於歐洲火紅的遊戲《一日千里》，值得喜歡這個主題的玩家收藏。

結束了聖心堂的行程，我變得更加小心翼翼，尤其之後羅浮宮、

綠星人的補充說明時間

《聖經故事的千里路程》來自著名的法國卡牌遊戲《一日千里》(Mille Bornes)，由法國設計師 Edmond Dujardin 於 1954 年設計並透過自己的品牌 Dujardin 發行。這款遊戲約在 1970 年代的西班牙與歐洲相當流行，荷蘭甚至還推出了這款遊戲的自行車版。普遍玩家認為《一日千里》這款遊戲的原型來自 1906 年由 Wallie Dorr Company 出版的《旅行》(Touring)。遊戲的目標是有玩家先抵達 1000 公里獲勝，遊戲會進行好幾局。遊戲中玩家會有 6 張手牌，輪到回合時抽一張卡片並打出一張卡片，直到有玩家達到目標。卡片分為距離卡、危險卡、補救卡，以及安全卡。玩家會打出距離卡來增加里程數，或者也可以出危險卡干擾對手，比如限制對方時速、發生車禍，或者汽油耗盡等，是個簡單有趣的卡片揀選遊戲。

https://www.jeuxdujardin.fr/

●《一日千里》有相當多種版本。●

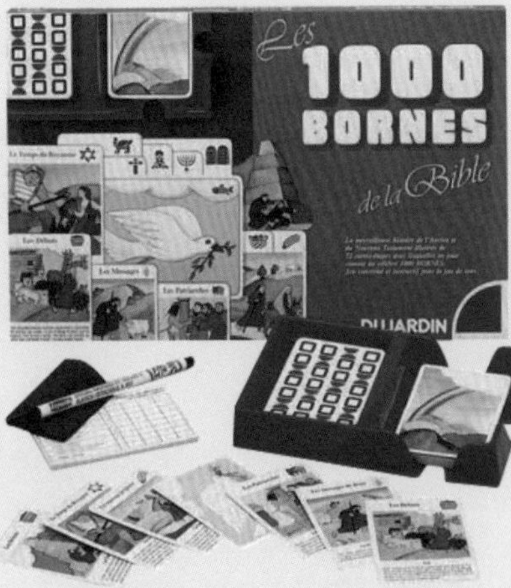

●改編自《一日千里》的《聖經故事的千里路程》。●

(圖片來源：出版社 Dujardin)

奧賽美術館，以及巴黎歌劇院等人潮眾多的景點，得更加注意周遭的一舉一動。當你完成一個博物館的景點遊覽，禮品店一定是你不能錯過的地方，於是羅浮宮、奧賽美術館、龐畢度藝術中心以及少部分的藝廊裡，你都可以發現桌遊的身影；當然這裏販售的桌遊除了與展品有關以外，性質都以大眾好親近的家庭遊戲和兒童遊戲，或者是常人能夠理解的抽象棋類遊戲為主，一些桌遊店不會販售的遊戲這裏也能找到，真的是相當好挖寶的地方。

●《聖經故事的千里路程》設計的很漂亮，已經是很難購買的品項，連官網都已經撤下相關資訊。●

●聖心堂內販售的紀念金屬幣，8 款一套。●

☀

漫步在巴黎街頭，塞納河畔的陽光還沒曬、香榭大道還沒浪漫、凱旋門和巴黎鐵塔還在等待，我

羅浮宮

●羅浮宮滿滿的排隊人潮，一定要事先在網路上購票，進場會更快速一些。●

地址 | Rue de Rivoli, 75001 Paris
電話 | +33140205050
營業時間 | 週一、四、六及週日：09：00-18：00
週三及週五：9：00-21：45
（週二公休）
網站 | www.louvre.fr/

●羅浮宮的展品非常的多，人潮也很多導致看展品質下降，一天看完幾乎是不可能的事，可以挑自己有興趣的主題展館觀看。當然像《蒙娜麗莎》這種則要碰碰運氣，有時很順利就能以很近的距離看到原畫。●

●羅浮宮內的禮品店，當然會有一些和歷史有關的桌遊，例如《西洋棋》、《賽尼特》(Senet) 等。●

●兒童區當然少不了智荷的遊戲。●

●藝術主題或相關主題的問答桌遊
幾乎是各大博物館必備的遊戲。●

●精緻的木製經典遊戲也可以在博物館的
禮品店發現。●

●埃及的考古遊戲，裡頭還附一款桌遊，可
以了解考古知識又可以玩桌遊，很棒！●

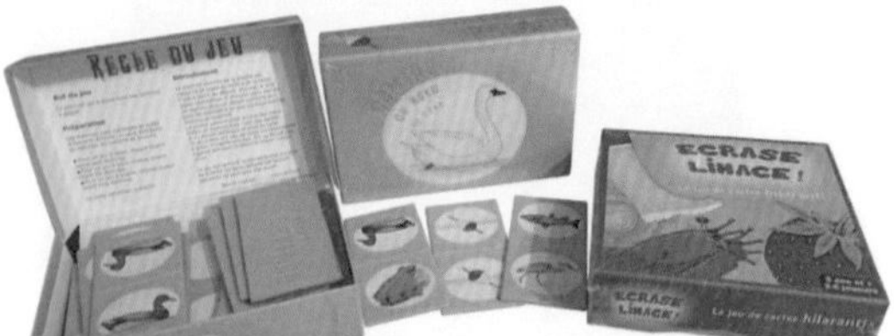

●一些桌遊店絕不會販售的遊戲這裡也能找到，
例如 Claire&Pierre éditions 的出版品。●

●羅浮宮裡有相當多不同主題的禮品店，其中一個販售戶外露營用具的禮品店裡也有相當多的桌遊，樓梯上也擺著來自芬蘭的「戶外桌遊」—《摩樂古》(Mölkky)。●

●經典老美術的木盒版《地產大亨》(Monopoly)、《妙探尋兇》(Cluedo) 發現！●

想知道更多？　什麼是 Claire & Pierre éditions ？

Claire & Pierre éditions 是由一位視覺設計師和學校教授所成立的出版社，主要出版家庭遊戲、文具，以及教具。它們的主旨非常簡單，就是為孩子、家長，以及老師創造漂亮的產品，每一盒遊戲不只有漂亮的插畫和平面設計，還有高品質的配件，是個相當注重品質的品牌，個人非常喜歡它們的出版品，而且有視覺設計師主導整個品牌的視覺走向，加上教授對產品本身遊戲性的掌控，絕對是個聰明又厲害的合作！更多產品可以到它們的官網查看：
http://www.claireetpierreeditions.com/

CLAIRE & PIERRE

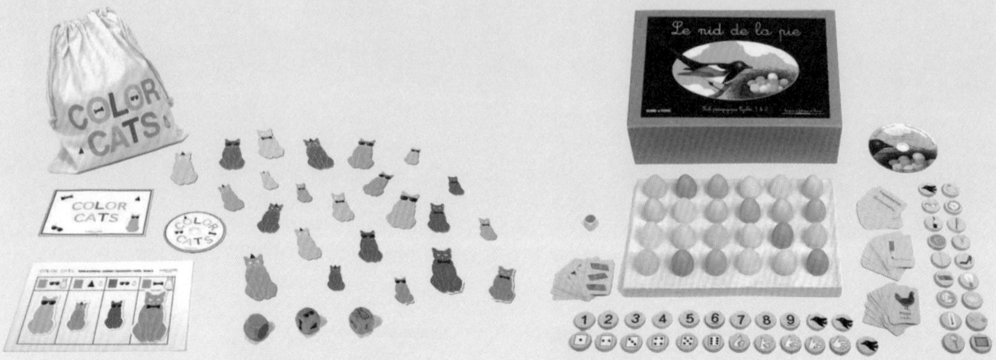

(圖片來源：出版社 Claire & Pierre éditions)

●來巴黎絕對不會錯過龐畢度國家藝術和文化中心，每檔規劃的展覽都相當精彩。●

●龐畢度中心當時正在展出馬格利特的畫作，其中一個有趣的漫畫遊戲書周邊相當值得購買！●

龐畢度中心

地址｜Place Georges-Pompidou, 75004 Paris
電話｜+33144781233
營業時間｜週一到週日：11:00-22:00（週二公休）
網站｜centrepompidou.fr

●龐畢度中心內部有許多設計商店、書店，花時間好好逛一定會有驚喜。●

●一些重點販售的桌遊幾乎都有展示品可以看到內部的配件。●

●設計商店內販售的各種桌遊。●

們的五官和身體都趕不上時間與空間，好像有人替我們安排了永無止境的行程，你已經覺得這是一趟未盡之旅而疲累，更別提那些真的該造訪的桌遊店了。即便如此，巴黎就是一個充滿桌遊驚喜的城市，你可以在沒有任何期待的情況下隨意走進一間看似沒有桌遊的店，然後以雙手環抱桌遊的樣子走出店門。例如你可以在一間招牌上寫著Album的商店，發現許多角色扮演類型的桌遊、《魔法風雲會》(Magic: The Gathering)，甚至是《威利在哪裡？》(Where's Wally?) 等插畫或卡通、漫畫的主題遊戲，像這樣光從外觀你根本料想不到會有桌遊的店，在巴黎俯拾皆是；這麼說是有些誇張，不過這就是桌遊之旅有趣的地方，只要多加留意並且充滿好奇的心，哪裡都有桌遊，哪裡都能桌遊。光是來到

●《釣魚遊戲》有相當多的主題，奧賽美術館裡當然販售藝術品的版本囉。●

●像這樣的景點金屬幣在巴黎非常的多！●

奧賽美術館

●由火車站改造的奧賽美術館絕對不能錯過。●

地址	1 Rue de la Légion d'Honneur, 75007 Paris
電話	+33140494814
營業時間	週二到週三及週五到週日：09：30-18：00 週四：09：30-21：45 (週一公休)
網站	www.louvre.fr/

●艾菲爾鐵塔、凱旋門、巴黎歌劇院，不同的時間點造訪都各有風味。●

●如果想透過玩遊戲來認識巴黎，這種遊戲書也可以在各博物館的禮品店找到。

●兩間 Album 正好位在隔一條街的正對面。多半看到販售明信片、照片的架子，我們會下意識的認為就只是觀光客禮品店，但其實裡頭也可以發現不少桌遊，請一定要進去逛逛。●

●其中一間 Album 販售的商品以動漫、角色扮演為主，集換式卡片遊戲以及漫畫主題的遊戲這裡都找得到。●

●比如來自英國的《威利在哪裡？》，絕對有很多相關週邊以及桌遊、遊戲書可以購買。●

●另一間 Album 則以插畫家商品為主，許多各國知名的插畫家週邊商品這裡都找得到！●

巴黎的第一天，收集的桌遊就已經累積到一個可觀的數量，為了減輕之後的旅程負擔，不得不先寄送一批回台灣，然而你沒想錯的就是，郵局也有很多驚喜可以挖掘。無論如何，我已經不敢想像接下來在巴黎的幾天會是多麼的「充實」，最重要的是，我們真的享受其中，並且不後悔旅程中做的每個決定，尤其是對於那些一期一會的桌遊、人，以及故事。

Album Comics

ALBUM COMICS

地址	67 Boulevard Saint-Germain, 75005 Paris
電話	+33153100060
營業時間	週一到週六：10：00-20：00 週日：12：00-19：00
網站	www.albumcomics.com/fr/

●遊戲裡販售的《小王子》紀念套幣，想要全套收集可能會大破財！不過這樣的紀念套幣應該不會有人想拿來用在《小王子》的桌遊吧。●

又被桌遊玩—戰利品開箱時間！

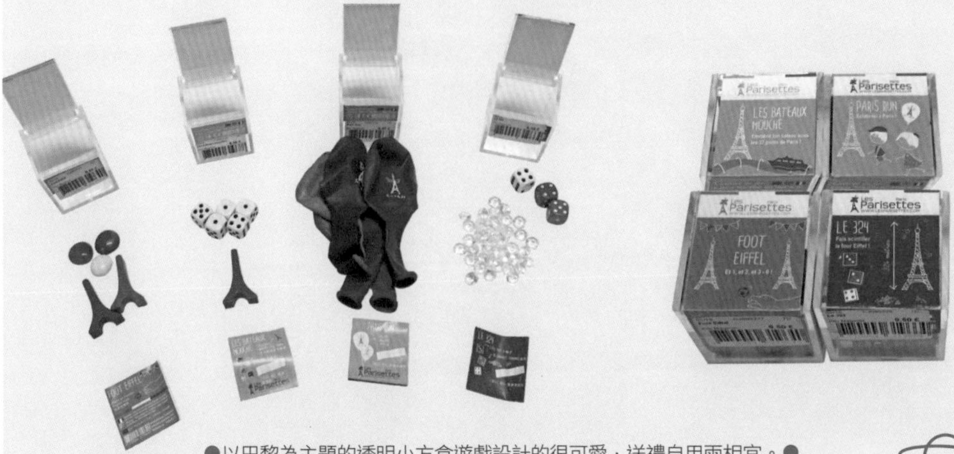

●以巴黎為主題的透明小方盒遊戲設計的很可愛，送禮自用兩相宜。●

●設計商店販售的布袋裝《西洋棋》。●

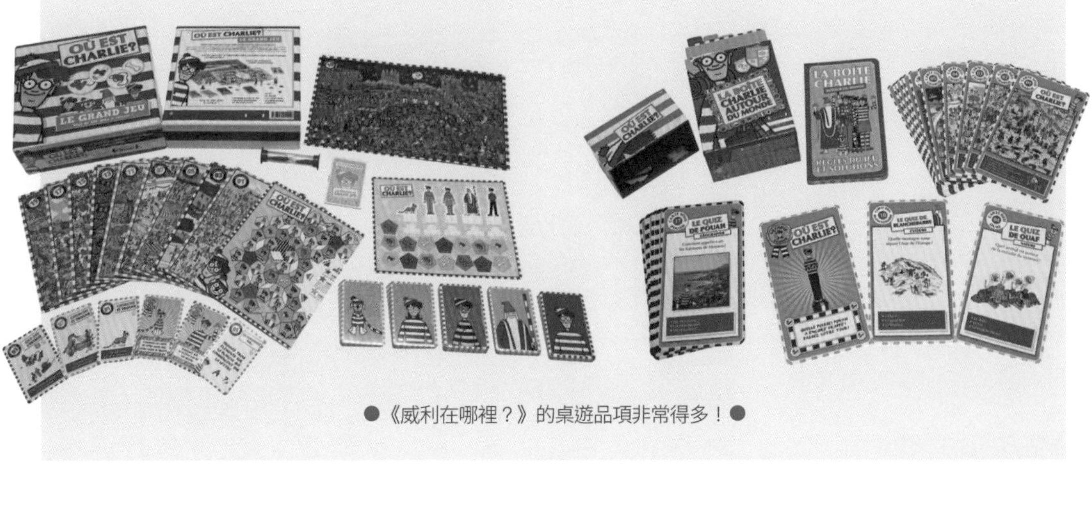

●《威利在哪裡？》的桌遊品項非常得多！●

看知名景點，也要逛桌遊店

●巴黎的地鐵站有非常多主題，蒸氣龐克風的 Arts et Métiers 站看起來超酷。●

提到法國的桌遊，你應該會立刻想起全球版圖龐大的桌遊品牌—Asmodee，因此不難想像，假如我們要逛法國的桌遊店，陳列的絕大多數商品應該都會是 Asmodee 的出版品，這同時也是實際到桌遊店前，我自己的想像，不過實際情況不是如此。如果你想找法國獨特的桌遊，那麼你可以跳過絕大多數 Asmodee 的遊戲，因為這些桌遊你可以很容易的在全球各地找到。在巴黎，絕對是桌遊人的天堂，因為桌遊店的密集度相較其它歐洲國家與城市來得高。如果你想找個可以悠閒逛逛景點，又能輕鬆找到桌遊店的地方，巴黎絕對是值得一來的城市！

由於桌遊店非常多，只能有所取捨，在規劃特定景點行程的時候，也把桌遊店的位置考慮進去，無論是透過地鐵還是步行的方式，串接起來會使行程順利得多，所以這天的第一站我就選了一個靠近聖母院預計前往的桌遊店。Stefan Feld 所設計的《聖母院》(Notre Dame) 相當知名，如果你玩過這款遊戲並熱愛這款遊戲，那麼巴黎聖母院應該會是你第一個想造訪的景點。同樣的，巴黎聖母院被我列為來到法國必去景點，因此安頓好居住的窩後，把握時間立刻奔向地鐵 4 號線的 Cité 站。這一站附近有許多景點，除了巴黎聖母院以外，巴黎古監獄以及聖徒禮拜堂也是相當值得一看的地方。一看到巴黎聖母院的正面，《聖母院》的封面立刻鮮明的出現在腦海中：就是這裡！也許因為相當喜歡這款遊戲，所以覺得異常興奮。巴黎聖母院的內部莊嚴肅穆，神職人員的祈禱詠頌也令人平靜安心；這裡是法國文化中心點，整體為哥德式建築，有相當精彩多看點。

同樣是 4 號線，離 Cité 站只有一站之遠的 Saint-Michel，附近有桌遊店 Variantes，從橋上漫步過來，欣賞塞納河的風光相當愜意。這一帶小巷弄相當多，Variantes 就隱身在其

●聖徒禮拜堂的內部令人嘆為觀止。●

●莊嚴肅穆的聖母院內部。●

●聖徒禮拜堂大廳旁小店有許多模型販售，不過這販售的模型多半售價昂貴。●

●聖徒禮拜堂的內部令人嘆為觀止。●

●莊嚴肅穆的聖母院內部。●

巴黎聖母院

地址	6 Parvis Notre-Dame - Pl. Jean-Paul II, 75004 Paris
電話	+33142345610
營業時間	根據參訪的地點有不同的時間
網站	www.notredamedeparis.fr/

中一條小巷子裡，即使透過 Google Map 的協助，還是得花上一些時間穿堂弄巷，因為交錯的巷弄多，不易確認位置。看到白色的門面裝潢以及白底紅字的旗幟，你知道 Variantes 到了。一開始吸引你目光的就是櫥窗擺設，各種各樣的棋盤遊戲、益智玩具，以及小品桌遊等，擺置在玻璃層架上，當季最新的桌遊則被擺在玻璃櫃的最上層，一目了然。這是一家你可以說是「麻雀雖小，五臟俱全」的桌遊店，桌遊、

綠星人的補充說明時間

Stefan Feld 所設計的《聖母院》是我最喜歡的遊戲之一，因此在發現聖母院裡有販售專屬金幣後，馬上二話不說買來替換遊戲內的金幣；像這樣的景點紀念品，相當適合替同名桌遊替換配件，或者添加一些配件的趣味，如果你有喜歡的遊戲剛好在你造訪的地點，不妨研究一下有什麼配件可以升級或者提供下回開遊戲前的故事引導。一盒《聖母院》的遊戲需要 25 枚金幣，以一枚 2 歐元的價格來說……，買齊就得花上 1800 左右的台幣，真的就是看自己對這款遊戲多有愛了。

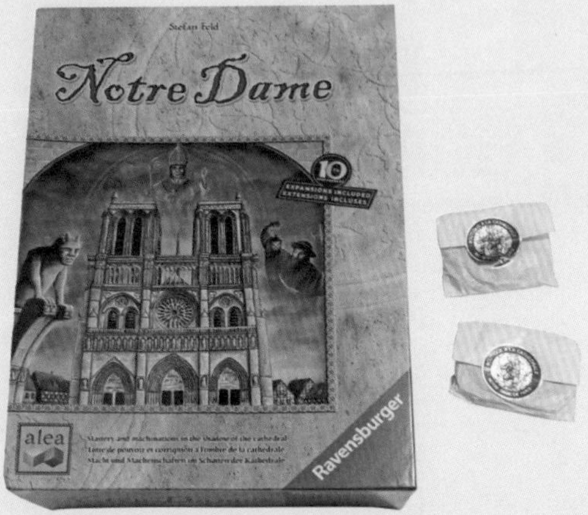

●《聖母院》搭上從聖母院購買的金幣。●

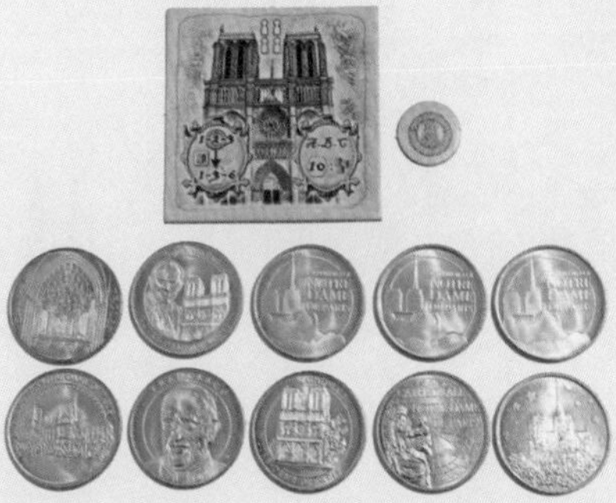

●《聖母院》使用的紙幣，以及金幣的大小比較，從圖片可以看到金幣很大一枚，而且鑄造精良。圖片中的板塊是 4 人遊戲中玩家進聖母院捐獻的行動會使用的板塊。●

●躲在小巷弄裡的 Variantes。●

●從櫥窗擺設的遊戲與物件可以了解是個商品相當多元的一家桌遊店。●

●因為店內空間狹小，整個牆面已經滿到無法再容下任何一件新商品。●

●一間小小的桌遊店可以滿足喜歡不同遊戲的人。●

●想要更多種《西洋棋》嗎？現場電腦讓你查。●

●麻雀雖小，五臟俱全，不只法國的桌遊，其它國家的遊戲也有。●

●小件的遊戲非常多，沒看過的遊戲更是五花八門，很好挖寶。●

●各種珍貴的紙牌遊戲都有販售。●

●這商品實在是豐富的太誇張了！●

●真的沒地方放，堆積如山的桌遊……難以想像再過幾年整家店會是什麼景像。●

●店內屬於法國出版社的遊戲很豐富，找不到可以問問親切的老闆。●

Variantes

地址	29 Rue Saint-André des Arts, 75006 Paris
電話	+33143260101
營業時間	週一到週六：10：30-20：00 週日：14：30-19：00
網站	www.variantes.com/

玩具、微縮模型、傳統遊戲，以及遊戲書籍等都有，雖然每種類別的商品不多，但至少種類一應俱全，可以滿足桌遊玩家基本的需要。這時你會覺得這店名取得真是巧妙，Variantes 在桌遊中有「變體」的意思，然而我們也可以把它看成是「多種變化」的意思，用以形容這家店的商品種類很豐富。隨著時間近晚，氣溫下降，狹小的店面中訪客絡繹不絕，從外頭看，整家店感覺相當溫暖有人氣。櫃子上擺滿整齊的桌遊，你已經看不見任何可以再放進更多桌遊的空間。店內主要的架子上原本以為會擺滿 Asmodee 的遊戲，不過實際上還是能看到各國出版社的產品羅列其中。一到這裡就相當積極翻找法國才能買到的桌遊，因為沒有做太多事前功課，因此透過腦中過去累積的「桌遊百科知識庫」，只要是封面、出版社，以及包裝沒有看過的產品，都會先列入觀察清單。果然不出十分鐘，手上已經抱滿一些戰利品。

在這裡我主要翻找到一些有趣的傳統遊戲，主因是這些傳統遊戲都有典雅的美術，無論是水彩類型的手繪風格，還是精緻工整的版畫風格都讓我愛不釋手。閒晃了一些時間，突然看見一處角落放著《賽鵝圖》(Juego de la oca)！這是十六世紀

●不只觀光客多，當地玩家也很多。當然也有第一次踏進桌遊店的當地人。●

綠星人的補充說明時間

《賽鵝圖》(Game of Goose) 是一個古老的兒童遊戲，目前普遍認為來自古埃及最早的桌遊《盤蛇圖》(Mehen)，同時也被認為是後來《升官圖》這類遊戲的原型。Francesco I de' Medici 曾在 16 世紀時把這款遊戲贈給西班牙國王 Felipe II，當時《賽鵝圖》在歐洲蔚為風潮。有人說這款遊戲來自希臘，不過世人並沒有在希臘的文獻中找到任何有關《賽鵝圖》的描述。《賽鵝圖》在 16 世紀時的法國也相當盛行，甚至還有各種變體。遊戲的玩法類似《蛇梯棋》(Snakes and Ladders)，走到特定格子會觸發事件，例如往前走兩格、回到原點，有的則是有罰金。

●法國其中一種《賽鵝圖》的圖板樣式。●

(圖片來源：維基百科)

●《盤蛇圖》最早的樣式。●

(圖片來源：Anagoria，攝於柏林埃及博物館)

出現的擲骰遊戲，如同《地產大亨》(Monopoly) 那樣，玩家擲兩顆骰子前進，抵達特定格子會觸發特定事件。從包裝的新舊程度以及略有霉味，大致可以猜測這款遊戲已經放在店裡多年，於是詢問老闆是否有其它款能夠挑選購買。

對於我拿《賽鵝圖》問他而感到好奇的老闆，首先不是處理我的問題，而是問我從哪裡來。我說台灣，他立刻表現興奮的神情，並告訴我台灣對他來說是個遙遠的國度，而且沒想到那裡桌遊這麼盛行，我說是啊，甚至每個捷運站平均都有一間桌遊店，他感到詫異；可以感覺得出來他對我這個東方面孔所在的國家有相當大的好奇心，甚至有一定程度的了解。根據我對一些法國朋友的觀察以及耳聞的消息，法國

店內挖寶趣！來看看我在這裡發現了什麼……

●相當精緻的西洋棋子。●

●《賽鵝圖》發現！●

●造訪當時，HMS Dolores、Waka Tanka，以及 Kreo 都是剛放上 BGG 頁面的新遊戲，巴黎當然已經可以買到了。●

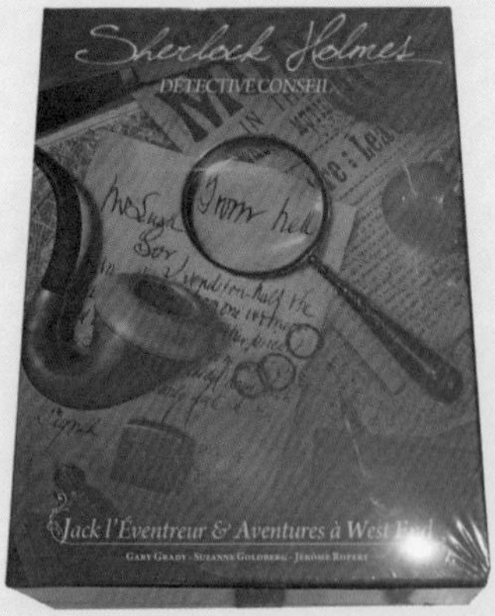

●當時熱騰騰《福爾摩斯探案》的開膛手傑克擴充 Sherlock Holmes Consulting Detective: Jack the Ripper & West End Adventures。●

●適合放桌遊間的桌遊小油畫。●

●埃及主題的單人板塊拼放遊戲。●

● PARIS IQ 是一款巴黎的問答集遊戲，想對巴黎有更多的了解可以買來和朋友一起玩。●

● Plato 是法國最老牌的桌遊雜誌，每期都會有限量的桌遊週邊贈品。●

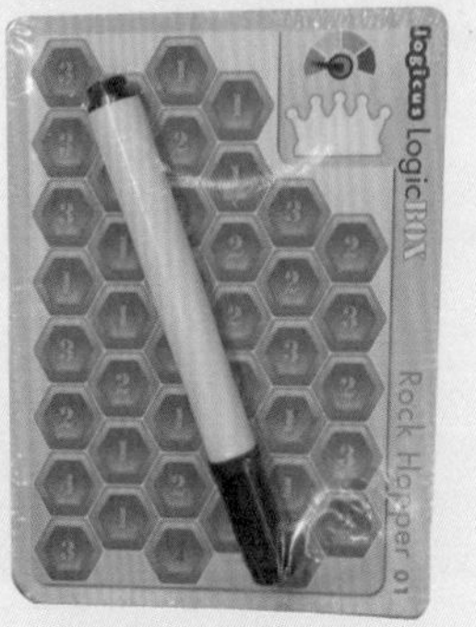

●附筆的邏輯小遊戲。●

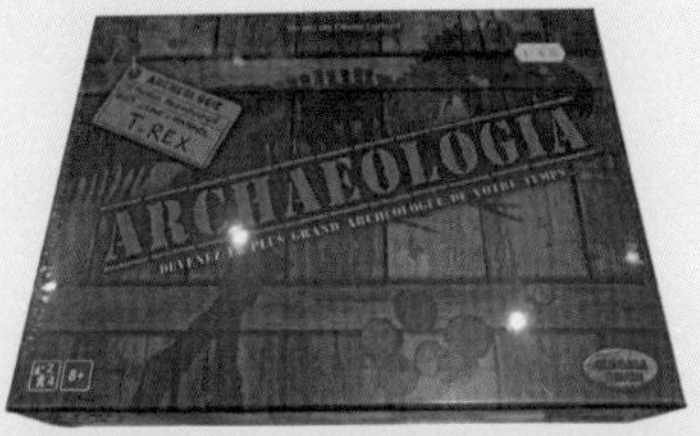

●美術和評價都不錯的《考古學》(Archaeologia) 遊戲，因為沒有英文規則和介紹，僅有法國的玩家關注。●

● Service Compris! 是《家族企業》(Family Business) 的 Asmodee 版。除了這款，這裏可以發現很多 Asmodee 早期出版的遊戲。●

●溫暖的色調吸引人進來 Variantes。●

人普遍都很關心政治與全球議題，因此他們對於台灣目前的狀況相較其它國家的人來說，非常了解。雖然無法清楚知道這麼說是否真心，不過老闆的確表示一定會來台灣看看台灣的桌遊盛況，也許哪天我會在台北的街頭與他來個不期而遇也不一定。

接著又簡短對話了一下，老闆才又繞回我的《賽鵝圖》。他說：「你知道這遊戲嗎？這是相當古老的遊戲了，不過很可惜我們這個只剩一盒，但是……等等，你稍等一下。」突然想到什麼似的，老闆進入小門後的倉庫搜索，彷彿有什麼驚喜。「你看，這是木盒版」，他興奮的把目光投向我，用一種彷彿我得把它帶走才不枉此行。根據這遊戲的特性與紀念價值兩種因素考量，我

●時間沒有掌控好，吃了 Le Joker de Paris 的閉門羹，不過之後也沒有時間再訪。●

也會帶走它。在桌遊店裡容易失去理智，沒有想到運送的問題就立刻買下，同時也一併買了兩款瓦楞紙盒包裝的遊戲，以及一個有雙面圖案，兩種玩法的棋戲。

因為老闆相當好聊，定番問題絕對要來問一下。說到最受歡迎的遊戲，他說並不一定，但是截至造訪當年(2016)最受歡迎的大概就是《機密代號》(Codenames)，以及《CS-Files 犯罪現場》(Deception: Murder in Hong Kong)了，從這兩款遊戲的屬性來看，也許這裡的玩家都相當喜歡聯想猜謎類型的遊戲。因為是第一家光顧的桌遊店，為了接下來的行程安排，除了自己已經找好預定要造訪的點以外，一併也問了他巴黎桌遊店的狀況。他說巴黎桌遊店非常多，如果我喜歡像《賽鵝圖》這類經典老遊戲的話，可以逛逛 Le Joker de Paris 或 Jeux Descartes，他提的這些店的確在我的光顧清單中。拿了購買的遊戲，推開門，點頭向老闆示意離開，他熱情的向我揮揮手，說著法語的再見，然後轉頭繼續面對其它顧客的詢問，此時門外還有更多等待進入店裡的顧客。我在這裡僅停留非常短暫的時間，不過卻覺得好像自己每天都來這裡報到一樣，那種受到熱情款待的感受，即使沒有坐下來面對面玩一盤桌遊，都能讓人在不經意回想起時懷念。拿出手機，查詢下一個前往的地點，不過看來今天就只能到此為止了；法國的桌遊店多半七點到八點左右結束營業，因為這附近景點多，消耗了較長的時間，離這裡不遠的兩家桌遊店只能隔日再去。

又被桌遊玩─戰利品開箱時間！

● Zone 和 Disk 兩款瓦楞盒裝的遊戲可以在巴黎各大桌遊店發現。●

●《賽鵝圖》有非常多版本，棋盤都繪製的非常漂亮。●

●這裡也可以找到來自匈牙利的桌遊，圖為 Marbushka 出版的多款長形遊戲。●

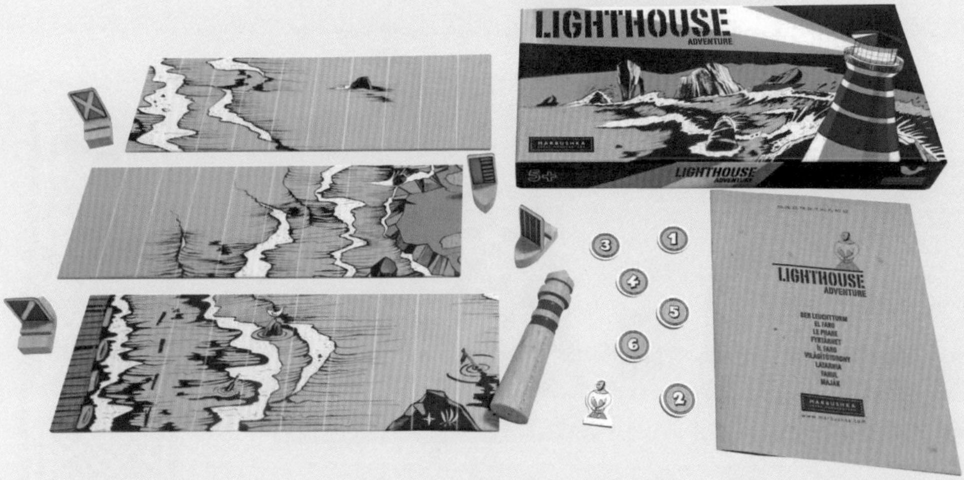

●礙於篇幅，Marbushka 出版的遊戲僅挑我相當喜歡的《燈塔冒險》(Lighthouse Adventure) 開箱。●

又被桌遊玩—戰利品開箱時間！

●木盒豪華的《賽鵝圖》，其實裡面有很多種遊戲。●

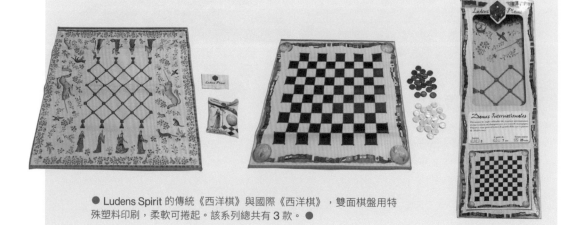

● Ludens Spirit 的傳統《西洋棋》與國際《西洋棋》，雙面棋盤用特殊塑料印刷，柔軟可捲起。該系列總共有 3 款。●

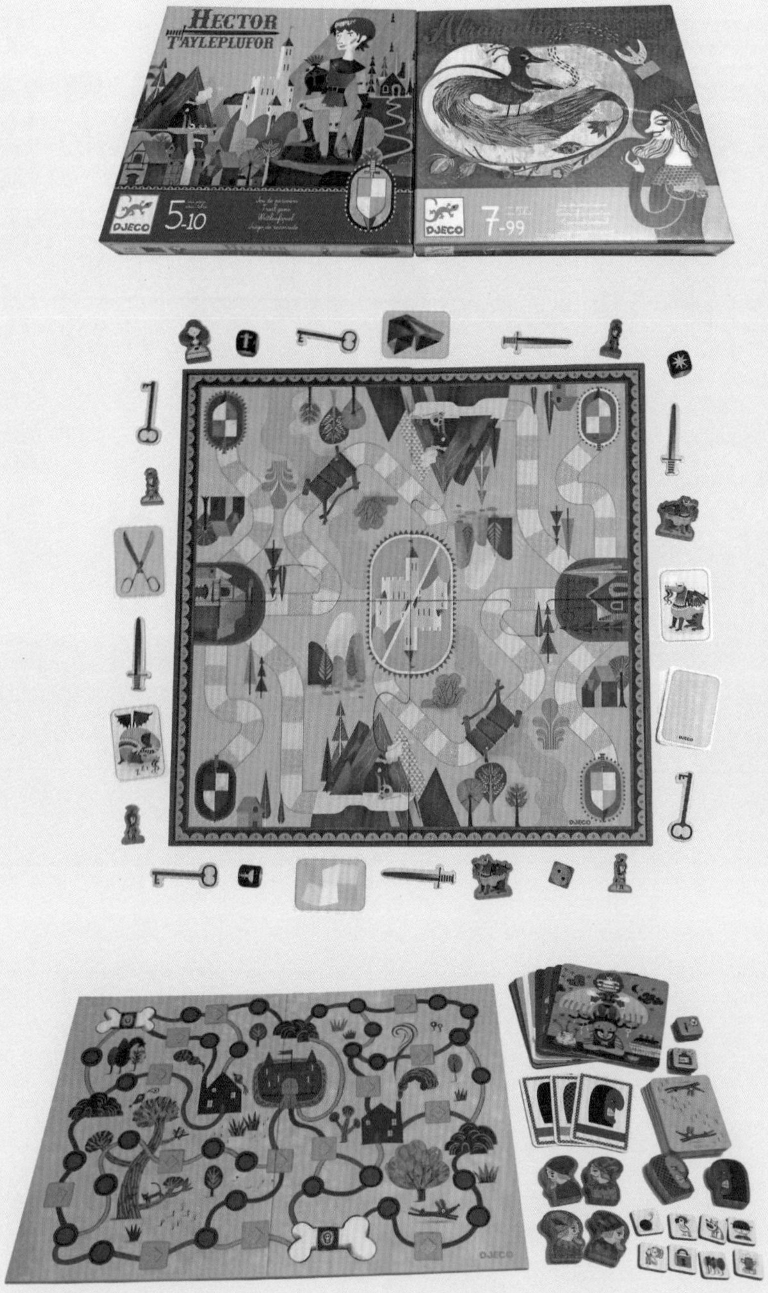

●智荷的遊戲向來都以漂亮的插畫聞名。出版許多兒童遊戲的智荷，在台灣有代理，如果時間夠的話，可以安排到塞納河畔旁的智荷工作室參觀。●

期待與失望，更多的桌遊店探尋

我的旅行總是緊湊，疾如風的想要造訪許多景點，因此旅行前我只有羅列造訪清單，但是沒有詳細的行程，這是為了讓時間更加彈性；有些地方到現場才知道有很多東西可以看，需要待久一點，有些則是不到十分鐘就結束。桌遊店也是這樣的吧，有些有許多你感興趣的品項，你會想多待一些時間挖寶，有些你可能進去晃個一圈就走出來了，也許這也關於我們的期待與失望—我們究竟想在桌遊店找到什麼？對我來說，找到一些當地才有的桌遊、稀有品項，或是歐洲各地流傳古老的桌遊會是我的主要目標。這天造訪的兩家桌遊店，都讓我有一種因太過期待而失望的情緒，不過並不是說它們沒有滿足我的任何購物需求，而是一種與個人生命經驗比對所帶來的失落。

在地鐵10號線的Maubert-Mutualité站，你可以一次收集Starplayer以及Jeux Descartes兩家桌遊店，不過因為不在地鐵旁，兩家都需要步行一段路才會抵達。Starplayer透過Google Map搜尋並無法找到紅點標示，需要打開街景圖才能看到的確有這家店，但是實際在街上的哪個位置因為沒有紅點所以相當難定位，當初在來Starplayer時花了好一段時間尋找確切位置。

Starplayer

Starplayer
spécialiste du jeu depuis 1996

地址	16 Rue Lagrange, 75005 Paris
電話	+33144073964
營業時間	週一到週五:10:30-20:00 週六:10:30-19:00 (週日公休)
網站	www.starplayer.fr/

●從櫥窗擺設的桌遊可以知道店內販售的商品走向。●

我對 Starplayer 起初抱有相當大的期待，因為它讓我誤以為這是桌遊術語的「起始玩家」(start player)，不過仔細看，它少了一個 t，所以其實應該是「星際玩家」的意思，我想讀到這裡的你，現在也才發現少一個 t 吧？直覺這裡會有相當多的桌遊，實際上的確也是，不過店內有一半以上都是戰棋、微縮模型，以及集換式卡片遊戲，經營模式相當接近於常見的遊戲連鎖店—Games Workshop。

如果你是喜好微縮模型類的玩家，Games Workshop 基本上你不會錯過，但由於是連鎖店，每家店不會有太大差異，歐洲各地也都有，個人傾向當地較有特色且非連鎖經營的桌遊店，這除了僅此一家別無分號的超級存在感以外，也可能在這樣的店家挖掘到特殊的桌遊。Starplayer 由於太像 Games Workshop，我並沒有在這裡久待。

●所有有關模型的商品一應俱全！●

●店內一側販售桌遊，一側販售模型遊戲。●

●最新的熱門遊戲都擺在這個架上。●

●同樣販售許多法國自家出版社推出的遊戲。●

●這裡可以堪稱是模型愛好者的天堂。●

●你比較難在這裡發現特別的遊戲，這裡販售的多半是當下熱門以及比較流行的遊戲。●

一走進 Starplayer，你可以看到專業的師傅正在為模型塗裝，整個店的格局為L型，雖然模型與相關器材佔了一大部分，但桌遊也有一定的數量，而且相較 Variantes 來說真的大上不少。這裡販售的商品你可以想像，就如同連鎖的桌遊店，販售的絕大多數都是熱門的主流遊戲，對於想找獨特法國遊戲或者冷門難買遊戲的玩家來說，很難在這裡享受挖寶的樂趣。不過最後我還是在這裡硬是挖了一個可8人同樂的《翹鬍袋》(Le Sac à Moustaches)，包裝相當有趣，雖然一點也不懂它的玩法，甚至可能沒有英文規則；也許這也提供了一個學語言的動機，為了看懂購買的遊戲規則，決心把法語學好，實在是個浪漫又天真的想法，不過以我自己的狀況來說，學德語有一部分的動機也是來自於想看懂德國的第一手桌遊消息。所以遊戲就先收著吧，有人說是松鼠病，但我總是相信自己哪天一定會打開它。結完帳，老闆表示現在剛好是它們店的20周年慶(1996-2016)，有一些商品的折扣優惠，示意我再多晃晃，我僅微笑並感謝他告訴我這件事即離開。

●老闆已經待在這家店 20 年。瞧瞧他身後已經絕版的《魔幻海戰》(Dreadfleet)......●

☀

從 Starplayer 步行一段路程，從遠處就能辨認出 Jeux Descartes 商標的貴族頭像，走進店內端視整個裝潢，簡單俐落的現代風格設計完全與我的想像有極大的落差。原本以為這會是一家古樸、飄著傳統風味的桌遊店，販售一些絕版、難尋的早期出版遊戲，沒想到完全不是這回事。整家店分為上下兩層，一樓主要販售家庭遊戲、派對遊戲、當期遊戲以及一些傳統遊戲等輕遊戲，地下室則是 Geek 玩家的天堂，RPG、集換式卡片遊戲、策略遊戲、戰棋遊戲等項目都能在這裡找到，品項則與大部分的桌遊店無異，不過還是能挖到少部分的獨特商品。

個人認為 Jeux Descartes 才是

店內挖寶趣！來看看我在這裡發現了什麼……

●《五大折磨》？這個我真的就不懂了，不過底下有克蘇魯的標題，放在這區也許是角色扮演的劇本書也不一定。●

●法文版的《富饒之城》(Citadels)，封面的美術不同。很多時候有些遊戲都會有該國重新繪製的封面或美術，如果你不滿意原版的美術，可以來收藏其它語言版本的遊戲！●

●這是全店比較吸引我的遊戲，因為我在任何一家桌遊店都沒有看到這項商品。●

●再版前台灣一度炒到很高價的《大航海家》(Navigador) 這裡還有很多。很多時候台灣說絕版的遊戲，基本上國外的桌遊店架上一定都還找的到，只是我們沒有那麼常出國……●

●《福爾摩斯探案》(Sherlock Holmes Consulting Detective: The Thames Murders & Other Cases) 的 2017 最新擴充，當時 (2016) 怎麼就有得買了呢？●

●仔細一瞧，店門前停了不少的重型機車，街上也時常見到機車呼嘯而過。●

●櫥窗內擺設的品項也非常豐富。●

Jeux Descartes

地址 | 52 Rue des Écoles, 75005 Paris
電話 | +33143267983
營業時間 | 週一到週六：10：30-19：00（週日公休）
網站 | www.jeux-descartes.fr/

●《牧場物語》(Lawless) 以及《城堡》(Castle) 是我早期剛接觸桌遊所收藏的遊戲。其中同樣是西部主題的《牧場物語》，幾乎是那時候比《砰！》(BANG!) 還常開的遊戲。●

今日的重頭戲，因為看到這家桌遊店的標誌，我像突然想起什麼似的感到興奮，那不就是我剛接觸桌遊不久，就有接觸它們遊戲的出版社嗎！Jeux Descartes 的出版品牌為 Descartes Editeur，於一九七八年成立，同時桌遊商店也於一九七九年開業，至今 (2016) 已經走過37個年頭！後來出版品牌於二〇〇五年被 Asmodee 收購，直至二〇一一年後，Descartes Editeur 不再出版遊戲。當時旗下產品線有 Descartes、Games for 2、Blue Games 或者 Eurogame 這幾個系列，手邊有的則是 Blue Games 系列的《牧場物語》(Lawless) 以及《城堡》(Castle) 兩款，玩過的則還有《蠹賊晚宴》(Draco & Co)，一致都是深藍背景的排版設計，相當好辨認。對於無意間能夠造訪這個充滿回憶的品牌商店，真的相當期待。

●店內販售各種各樣的桌遊，如果想找什麼特別的遊戲這裡肯定有！●

●地下一樓還有更多遊戲可以挖掘。●

店內挖寶趣！來看看我在這裡發現了什麼……

●巴黎這麼多家桌遊店，我只有在這裡發現火柴盒系列。●

●連麻將都有呢！●

●連匈牙利出版社 Marbushka 最新的《太空海盜》(Space Pirate) 都有！●

●英文版的巴黎景點導覽介紹「紙」，一張販售 4.9 歐元，這大概是整間店我最疑惑的商品了。●

●一樣只有在這裡才能買到的 FAKIR，玩家輪流插放棍子 (垂直或水平)，最後一個放棍子的玩家獲勝。●

店內挖寶趣！來看看我在這裡發現了什麼……

●這裡也可以買到 Disk 和 Zone。●

●美術不同的木製版《賽鵝圖》。●

●這裡應該是當時第一個上架《閃靈快手：魔法帽》(Geistesblitz: Spooky Doo) 的地方！●

●簡單有趣的心機微桌遊《政變》(Coup) 有非常多的版本，幾乎一個國家就有一種美術。如果你喜歡法版的插畫風格，或者每一版的《政變》你都想要，那麼一定要買來收藏。現場可以買到《政變》、小擴充，以及《政變 2》。●

● Asmodee 的超厚產品型錄隨你拿……，因為這裡是 Asmodee 的相關企業，所以可以找到這個型錄一點也不意外。●

其實我更期待能在這裡找到 Descartes Editeur 的遊戲，當然因為這些遊戲早已絕版，如果能夠帶幾套全新的就更棒了；好奇之下問了掌櫃的店員，並表示我有過去 Descartes Editeur 出版的遊戲，因此希望能在這裡找到一些相關商品，不過他僅表示這已經是好久以前的事，店內已經沒有 Descartes Editeur 出版的遊戲。進一步詢問停止出版的原因，他僅簡單說明財務問題是原因之一，而從店內多展示 Asmodee 出版商品的情況來看，不難想像當時品牌賣給 Asmodee 時可能就是這樣的考量。此時我才徹底相信，Jeux Descartes 早已不是 Descartes Editeur 的延續，並且不知道為什麼有一股失落感油然而生，不過最後還是帶走了幾款自己認為還算有特色，而且只有當地才買的到的遊戲。走出店門外，心想 Descartes Editeur 其實還在，他在所有愛戴他們遊戲的玩家心中，每個過去所相遇的桌遊出版品，那個時間點以及當時的人事物都會是最珍貴的回憶。

●桌遊周邊這裡比較少，但是還是可以滿足玩家的基本需求。●

●可以在這裡挑到一些特別又漂亮的黑白明信片。●

又被桌遊玩─戰利品開箱時間！

●從 Starplayer 以及 Jeux Descartes 搜括而來的戰利品。●

●《草泥馬黑幫》(Gangs of Lamas)，不管是主題還是美術都相當獵奇。●

●法版《政變》有非常特別的美術。●

●《翹鬍袋》(Le Sac à Moustaches) ●

●《小丑》(Arlequin) ●

●《尋找小矮人》(Search for Gnomes) ●

歐呀！霓虹招牌的暖心驚喜

時間近晚，但還沒有到想飽餐一頓的時刻，想想這裡一定有很多桌遊咖啡店，所以打起在桌遊咖啡店用餐的主意。同樣透過Google Map發現一家名稱相當特別的桌遊咖啡店Oya，唸起來就像是「歐呀」，很開心的感覺。來到桌遊店附近時，發著紅色霓虹光的招牌以及整家店的氣氛和色調，當下並沒有讓我認出來是一家桌遊咖啡店，反而會以為是一間時尚的酒吧，直到看到招牌上寫著JEUX(法文遊戲的意思)，才讓我確定Oya到了。這家店離市中心有一段距離，大約位於地鐵7號線的Les Gobelins旁，若非Google Map的延伸推薦，或者有當地人帶領，也許永遠都不會知道這裡有著這樣一間充滿驚喜的店吧。

Oya

地址	25 Rue de la Reine Blanche, 75013 Paris
電話	+33147075959
營業時間	週二到週六：14:00-00:00 週日：14:00-21:00
網站	www.oya.fr/

● Oya 的紅色招牌相當醒目。●

●造訪的當下店裡一個人都沒有，害我好生尷尬。●

●給玩家試玩的大型桌遊就放在這造型相當特別的桌子上。●

從外觀看，店面的設計看起來就像是任天堂的紅白機一樣，紅白相間相當有特色，不過對於是否要進入店內，一下子會有所遲疑。不知道是不是來錯時間，店內一個客人也沒有，只見老闆、員工以及老闆的好朋友坐在最裡面的桌子閒聊，讓我不由得開口問：「現在有營業嗎？」「當然！」他們異口同聲回答。正當我遲疑的時候，店員和老闆等三人的目光完全投向我並等待我開口說出我的需求，但我不知怎麼的腦筋一片空白，好像忘了此行的目的，也許是桌遊店裡一個客人也沒有的奇異感受，以及店內個性十足的裝潢與擺設，對我造成期待落差的衝擊，一時不知道怎麼反應。紅色霓虹燈的招牌令人印象深刻，應該會是一間相當熱門的桌遊店，我很驚訝那裡一個人也沒有，這樣的桌遊店要怎麼生存？

●這一桌上面全都是它們代理出版或是自己開發的遊戲。●

見我相當陌生，首先是老闆的好朋友主動上前問我是否要點些什麼，我才開始關注牆上有關這家店的收費方式以及提供的服務，並且漸漸回過神來。其實我還是在意一個客人也沒有這件事，畢竟一間開在巴黎的桌遊咖啡店，這個時段沒有客人的話似乎不太對勁，不過我也不懂為什麼當下我一直執著這件事。心中充滿這個疑惑，並使我忍不住詢問：「這個時間點通常都沒有客人嗎？」其實這問題相當尷尬，要嘛就是店內生意真的差，不然就是接近用餐時間，大家都跑去吃晚餐了。

「是的，通常假日或是特定週間的某一個日子會比較多人。」老闆的朋友直接這麼說，她是個相當親切的人。「你需要來點什麼嗎？要不要坐下來玩遊戲？」她積極的詢問，並開始和我介紹這間店：「你可以看到那裡有價目表（不過都是法文我也看不懂），點飲料是6歐元，可以教你玩一款遊戲，多教一款只要再加3歐元，不過你自己帶遊戲的話也可以，只要點飲料的6歐元就可以了。」「嗯，好的，我想要一杯美式咖啡。」我不假思索的回答。

☀

「那請坐吧。不過不好意思，我有事得要先離開了，如果你有什麼問題的話，可以問他們兩位。」手指了老闆和店員，這時老闆和我對到眼，以一口還算標準的中文走來和我說：「你從哪裡來？」。老闆的朋友和我揮一揮手，轉身離開，我也和她揮揮手，然後頭腦突然像被什麼東西擊中……他剛剛和我說中文嗎？！是的，他講的還算流利，問我為什麼來巴黎，想要找什麼，以及閒聊喜歡的遊戲等，全都是用中文！我以為他只是幾個句子能用中文說，我習慣性的還是用英文回答，一時之間出現外國人用中文溝通，我用英文溝通的有趣情景，讓我即使現在想起來還是覺得好笑。

☀

老闆相當熱情，他示意我看小桌上的桌遊：「你看，這是我們過去出版的遊戲，像這款《大師畫廊》(Duckomenta Art)，你知道嗎？」「嗯嗯，這是Reiner Knizia的作品。」我回答，然後拿起他們其它的出版品端詳。「過去我們出版了這麼多遊戲呢！」老闆相當自豪：「對了，你一定要看看這個，這是我們自己研發的遊戲，不是單純的代理而已。」他展示了兩款遊戲，美術是特別的手繪插畫，我眼睛為之一亮：

「這都是你們自己的遊戲嗎？看起來很棒！」不過當要進一步看更多資訊時，發現盒背並沒有任何的英文說明。

綠星人的補充說明時間

其中一桌桌上擺的 Bois Joli，也是 Oya 自己開發的遊戲，後來被其它出版社代理成《針葉林裡的秘密》(Taiga)。這是一個成套收集與記憶類型的遊戲，遊戲中玩家會輪流翻開木製指示物，當有翻到場上卡片顯示的動物，玩家就會得到計分指示物，如果翻到該種動物的最後一個木製指示物，那麼玩家會連同場中央的卡片一併帶走。遊戲會一直玩到卡片都翻完之後結束，卡片值一分，木製指示物也值一分，這時比加總分數後最高分的玩家獲勝。

● Bois Joli 原本的樣子。●

（圖片來源：出版社 Oya)

●新版《針葉林裡的秘密》的封面。●

（圖片來源：FoxMind)

●店裡呈列相當多開盒的遊戲。●

後來聊到此行的目的，「我來參加埃森桌遊展，會先去歐洲一些國家，然後才進德國。」我簡單的交代並緊接著問：「你們這次會在埃森展擺攤嗎？」「喔，埃森展啊，也許明年吧，不過今年會去觀摩一下。」老闆一派輕鬆的回答。就這樣聊開後，大致了解 Oya 這家店已經開了21年（截至2016），也都一直有進行出版業務，老闆說在巴黎其它的桌遊店也能找到 Oya 的出版品，不過也許在來這家店之前並不知道 Oya 這個品牌，沒有注意這些桌遊店的架上是否有 Oya 的出版品。互相交換了名片，老闆說他對台灣的桌遊也有興趣，有不錯的記得介紹給他，我說好，接著他就急著出門了：「很高興認識你，但我現在必須要出門一趟，你有任何需求就和我們的店長說吧！」然後他給了我一個誠懇並使力的握手，帥氣的轉身離去。

☀

店長在我和老闆的對話結束後，就進去廚房裡泡我的咖啡。此時店內進來一組客人，不知為何有種「哇，終於我不孤單了」的感覺。仔細看架上提供給店內玩的遊戲，其陳列方式相當有趣，每款遊戲的背後是許多洞洞凹槽，遊戲就架在木頭插梢上，可以視遊戲盒子的大小調整插梢的位置，真是實用、看起來又特別的陳列方式。為了推廣，造型桌上放有一組大型的兩人抽象遊戲 Avalam，這是 Oya 重新代理出版的版本，不過當下我的注意力還在方才老闆介紹的自家遊戲上，並沒有對 Avalam 太多關注。

●店裡呈列相當多開盒的遊戲。●

●仔細看，用插梢來調整遊戲放置空間的做法真的很聰明也很特別。●

燙口咖啡，細細酌飲，這大概是這麼多桌遊店巡禮最悠閒的一次了。期間與店長閒聊，他說店內的遊戲他都會教，再問到如果是新遊戲的話，他則說就看老闆的意思，如果有開盒就會研究，我好奇的問，店內收費都是6歐元可以教一款遊戲，那麼客人指定要玩派對遊戲或是策略遊戲勢必會有時間上的差異，所以教學時間成本不是考量的因素嗎？他表示各有優劣之處，派對遊戲可以玩很多次，重開率很高，然而策略遊戲因為時間長，幾乎就只能玩一次，很快地客人就會要他再教另一款，兩相比較之下其實時間差不多，想想也是蠻有道理的。不過當然，來店裡的客人都指定玩派對遊戲居多。

●我就這樣一個人佔據了整家桌遊店，悠哉的喝著咖啡。●

●除了原本桌上擺置的 Le jeu aux mille titres，店長從倉庫裡直接搬出一箱讓我選，沒想到封面居然有這麼多款！●

● Le jeu aux mille titres 還有得到 2014 年「金牌遊戲獎」(As d'Or) 的提名。●

綠星人的補充說明時間

「坎城國際桌遊展」(Cannes Festival International des Jeux) 是歐洲春季最大的桌遊展，展中揭曉的「金牌遊戲獎」(As d'Or) 是桌遊界最重要的獎項之一，自 1988 年設獎至今已走過 28 個年頭，獎項起初有些頒發給電玩遊戲，現在已全都改為頒發桌遊獎項。獎項與「德國年度遊戲獎」類似，同樣分為兒童遊戲、年度遊戲大獎、評審團大獎三類。

●冷冷的天氣中看到 Oya 的溫款紅光，真的就是讓人不禁想大喊「歐呀！」。離開前終於有一組客人上門。●

最後，我決定帶走 Oya 自己品牌推出的遊戲，因為真的沒有在別處看過，於是我請店長幫我拿 Le jeu aux mille titres 的所有封面讓我看，不久他就抱著一大箱的 Le jeu aux mille titres 出來，封面少說有 10 款以上，讓我在現場猶豫了很久，不只挑很久，還像個好奇寶寶一樣問題問個不停，他一定對這個台灣來的客人留下深刻印象吧。拿著遊戲，向店長道別，他最後還不忘貼心的說，遊戲的英文說明書會再寄到我信箱，真是一間讓我驚喜的桌遊咖啡店。其實我還是掛記著那個會講中文的老闆，可惜在我離開前他都還沒有回來，沒有辦法再多深入跟他聊聊。走出店門外，黑夜已經來臨，紅色霓虹光的招牌看起來顯得特別溫暖；想像在一個寒冷的天氣，前不著村後不著店的情況下遇到這家店，裡面有簡單的飲料還有任你玩的桌遊，真得會讓人忍不住大呼「歐呀！」。

又被桌遊玩—戰利品開箱時間！

從這款遊戲你了解到，並不是所有的遊戲都會放上世界最大的桌遊論壇 BGG。最後我挑了 Le jeu aux mille titres 現場該款封面只剩一盒的版本。Le jeu aux mille titres 的意思是「成千上萬的故事標題」，是一款記憶遊戲。在這款遊戲中隱藏了 35 組情人，玩家必須想辦法把他們找出來。比如皇后在牙醫院，那麼國王會在哪裡？發揮你的想像力！這款遊戲也可以讓玩家創造許多故事，並且運用在語言的學習上。

●從遊戲的 70 個角色來看，
搞不好封面就有 70 款呢！●

●圖板上有許多放置角色板塊的位置。●

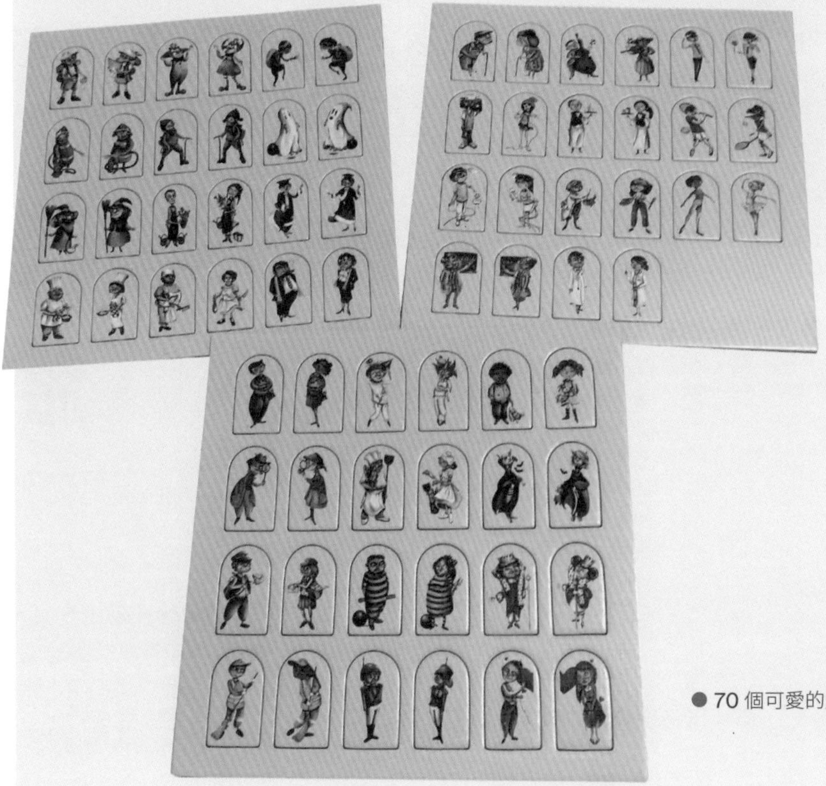

● 70 個可愛的角色。●

● Meisia 就躲在聖馬丁大門後面的小街巷內。●

Meisia——冷天的暖心桌遊餐廳

旅行中的我總是這樣，行程十分緊湊，想在短時間疾如風的走完許多地方。然而即便我腳程再快，還是會有掌控不了的時候。當我抵達 Le Joker de Paris 時它們已經關門，時值晚上8點，也許提早關門了也不一定，也或者 Google Map 上顯示的時間沒有那麼準確。像台北開到晚上10點、11點的桌遊店，在歐洲並不常見，不過除了 Oya 開到晚上12點，巴黎還有這麼一家開到晚上12點、凌晨1點的桌遊咖啡店，對於晚上許多店家早早關門的巴黎來說，沒有理由不去看看，在行程的安排與規劃上，我們本來就會把比較晚關門的店挪到較晚的時間，所以 Meisia 2.0 - Boardgame Café 真可說是桌遊玩家來巴黎，晚上最棒的去處。

對我們來說，晚上9點還不算晚，但是巴黎的街頭幾乎只剩下一些酒吧和簡餐店還開著，沒有可以逛的地方，剛從地鐵4號線的Strasbourg Saint-Denis站走出來就深刻感受到。朝著聖馬丁門的方向前進，斜巷子裡大夥坐在咖啡店門口閒聊，充滿浪漫情調的黃色燈光與慵懶的氣氛，像極了梵谷《夜晚露天咖啡座》裡所繪的場景，浪漫到不行，不過一度也讓我疑惑，這裡真的有開到這麼晚的桌遊店嗎？還是Google Map的資料顯示有誤？內心盤算著找不到的話，打算就地找個咖啡店喝個兩杯，點個小餐點填飽肚子，感覺也不錯。

來到地圖指示的位置，小小的招牌相當不起眼，店門外的露天咖啡座也相當黯淡，外頭一位客人也沒有，只有一位穿著橘色服裝的服務人員，收拾著桌上前一位客人用餐後的凌亂。還不確定是不是就是這裡，疑惑的從外望進去店內，哇，我忍不住驚呼，整家店人聲鼎沸！簡直跟外頭的冷清大相逕庭。橘色服裝的店員見我在門外望了一陣子，直接邀請

Meisia 2.0 - Boardgame Café

地址	84 Rue René Boulanger, 75010 Paris
電話	+33140184852
營業時間	週一到週三：17:00-00:00 週四到週六：12:00-00:00 週日：12:00-22:00
網站	www.cafemeisia.com/fr

●看到像是梵谷《夜晚露天咖啡座》裡所繪的街景時，再往前走一點就會抵達 Meisia。●

●橘色衣服的服務人員沒想到就是……●

我進入店裡，他有著亞洲人的面孔，但是不管是長相還是整個舉動都相當成熟老練，因此我想像他應該是住在這好一陣子的華裔，甚至就是台灣人也不一定，我自己這樣想著。

進到店裡，裡頭並沒有開暖氣，但是你可以感受到因為坐滿人而溢出來的體溫，充滿了整個空間，對比店外的冷空氣，讓人很想就在這裡窩著，哪都不想去。玩家遊戲的地方面對著準備食物的吧檯，整家店不算大，但分成上下兩層，估計還是能容納30名甚至更多的客人。逛了一天餓了，橘色服裝的店員拿著菜單出現，立刻二話不說拋下店內擺設的桌遊，決定先填飽肚子再說。果不其然，預感菜單中應該會有亞洲菜，對於吃了幾餐歐洲食物就感到膩的我，看到炒麵相當感動，當然馬上來一份，此外還多點了龍的爪子這種有著奇幻菜名的食物，根本不知道送上來會是什麼樣子，因此相當期待。

●店內消費有相當特別的會員機制。●

等待餐點的時間稍長，索性逛起整家店；可以看到這裡與一般咖啡店的不同之處，在於裝潢不強調氣氛，明亮簡單為主，陳設也很簡約和家常。隔壁桌的客人餐點已到，看著他們大口扒麵，很是享受，美味的食物與桌遊享用著同一個桌子，甚至沒有任何防護措施，感覺是個相當大氣的一家店，玩起遊戲來也可以很盡興，不需要有太多顧慮，比如擔心食物弄髒遊戲，當然個人認為即使店家放寬心，玩家自律才是有禮貌也是最基本玩桌遊的態度。除了吧檯前的遊戲空間，更裡面有一個不到兩坪大小的遊戲室，陳列著店家販售的商品，空間很狹小，因此一次只能容納一個人在裡面挑選遊戲，否則不小心就會把陳列的商品給撞下來。

●與一般咖啡店營造的氛圍不同，整間店非常的明亮。●

●從桌遊小間看向外面的遊戲空間，除了原本店內的玩家，客人絡繹不絕。●

●因為只有我一個人，似乎有點難安排座位。●

●吧檯旁的桌遊小間雖然空間很小，但是放滿了桌遊。●

●吧檯前開盒的遊戲，有絕大多數的品項都是法國出版社的出版品！●

想知道更多？ 什麼是 Twinples

你可以在這裡發現相當齊全的 Twinples 品項，幾乎熱門遊戲的 Twinples 這裏都有。Twinples 是由一家法國的模型公司 Studio Twin Games 所推出的一項計畫，它們會和遊戲出版公司合作推出遊戲的官方專屬棋子，通常棋子都會有該公司特有的造型，可以為遊戲添加更多情境與收藏價值。一組 Twinples 的價格依棋子的數量不等而有所不同，金額大概都落在 8 到 20 歐元之間。官網可以看到更多有關 Twinples 的介紹：http://studio-twin-games.com/

●《伊斯坦堡》(Istanbul) 的專屬棋子。●

●《科爾特快車》(Colt Express) 的專屬棋子。●

●店內販售的 Twinples。●

(圖片來源：出版社 Studio Twin Games)

店內挖寶趣！來看看我在這裡發現了什麼……

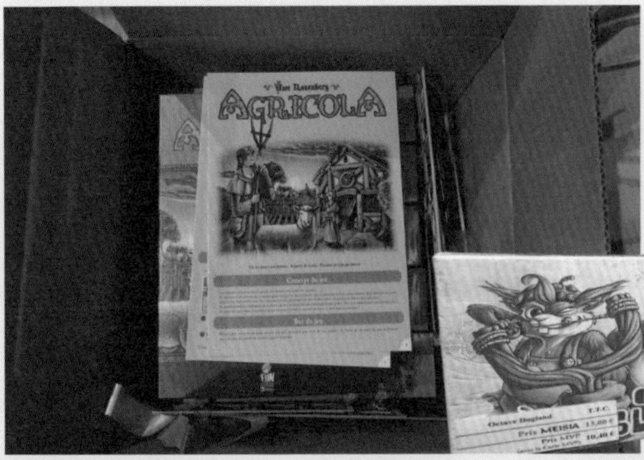

●當時熱騰騰超級第一手的新版《農家樂》。●

●這裏有相當多冷門的法國遊戲，當然也有一些法版限定的商品，例如木盒豪華版的《維洛納議會》(Vérone)！●

●法國出版社 Gigamic 的鐵盒全系列，這裡也能找到。●

●同樣是法國出版社 Cocktail Games 的方型鐵盒遊戲也相當齊全！●

●骰子放在玻璃罐中，就像糖果一樣，很棒的點子。●

●兒童遊戲的分類中好像有「特別」的品項放錯？●

不管是店家的牆壁、小櫃子，還是吧檯前的小空間，處處都有桌遊小物的驚喜。諸如牆上掛著知名桌遊的畫師作品、櫃檯前任玩家索取的促銷小遊戲，以及看起來似乎能直接在牆壁上玩的《詭祕莊園》(Mysterium) 等，很多有趣的事物。除了這一層，地下室有更寬敞的遊戲空間，櫃子上放滿可以在店內開的遊戲。這次參觀剛好碰上法國出版社 Funforge 的老闆帶著新版《農家樂》(Agricola) 到店裡推廣，只見有兩桌客人相當專心且享受的玩著遊戲，當然一旁也配著美味的食物，還有什麼樣的夜晚能比這個更美好呢。

晃了一會兒，我的食物也終於來了。餐點一送上來，附的不是刀叉，而是筷套且印有「各式名菜、

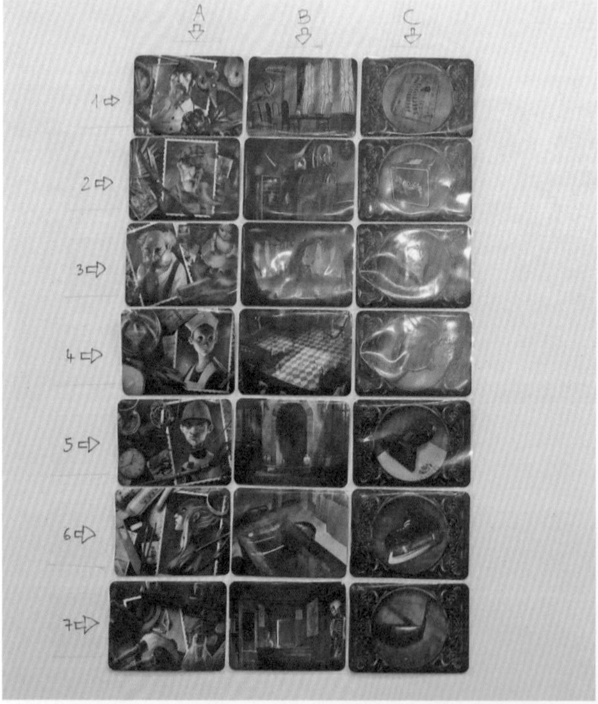

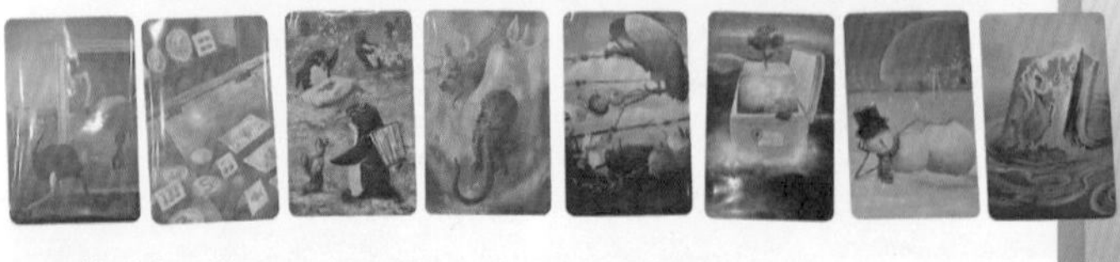

●牆上有一些可以讓玩家探索的玩意。例如可以直接在牆上玩《詭祕莊園》(Mysterium)；另一面牆甚至還有《克洛茲大師：競技場》(Krosmaster: Arena) 繪師所繪的原畫！●

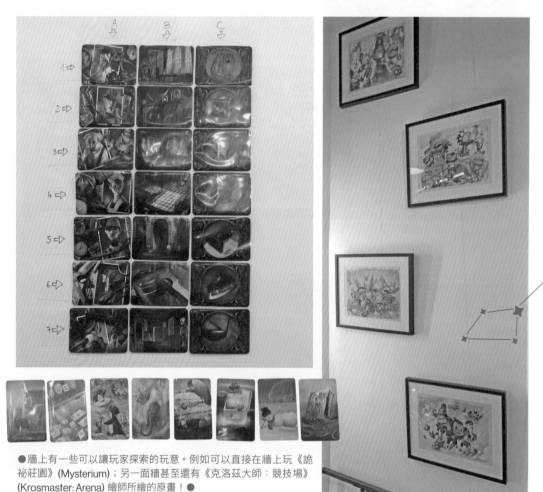

喜慶壽宴、正宗料理、服務週到」的一雙筷子，讓我更加好奇這家店的來歷。食物是典型的亞洲口味，就是那個醬油！少了就不道地了，我想這家店應該還有其它亞洲員工吧，也許廚師還是老闆就是亞洲人。享用完美味的餐點，橘色服裝的店員主動坐到我面前，問我還喜歡今天的食物嗎？我點點頭表示好吃，並像逮到個好時機一樣，立刻把內心各種疑惑問了一遍。

●從這裡可以通往地下室的空間。●

●造訪當天剛巧碰上 Funforge 的老闆帶著新版《農家樂》到店裡推廣。●

●地下室的空間可以容納更多人。注意這裏的椅背凹洞，就是 Meisia 品牌的狐狸頭！●

●位於一樓與地下室之間的夾層空間，放置了許多可以讓玩家玩的遊戲，同時從囤放的桌遊數量來看，可以知道當前熱門的遊戲是什麼。●

●這位來賓在我想用餐點時不時的來拜訪我！●

●「龍的爪子」上桌！其實就是炸肉丸一份。一旁的醬油炒麵相當亞洲口味。●

●「各式名菜、喜慶壽宴、正宗料理、服務週到」。這雙筷子的確令我吃驚，有瞬間回到台灣的感覺。●

原來，這位橘色服裝的店員就是老闆本人！同時我當天吃的所有食物，除了茶是他員工泡的以外，全都是他親手料理的！難怪會有亞洲菜和讓人熟悉的筷子，我跟他這麼提，不管是食物還是食具都讓我非常驚訝，他對我點頭微笑並表示很開心有人了解。老闆姓黃，溫州人，在法國長大，不過中文說的還不錯；這家店是Meisia 2.0，顧名思義，還有一家稱作1.0的店，黃老闆表示，另一家離這裡僅有兩站的距離，同時也是我本來預定要造訪的其中一間店，不過因為這裡順路就先到了2.0，沒想到這一來還來對了，因為1.0裝潢整修中，根本沒有營業，而且空間相較之下也比較小，黃老闆就是因為空間不足所以才開了2.0。問他店開了幾年，他表示已經有6、7年(截至2016)的時間，不過開店前他就很喜歡

●原來橘色衣服的服務人員就是老闆本人，本人相當健談！從對談的過程可以了解他起初在巴黎奮鬥相當辛苦。●

玩桌遊，也是因為喜歡桌遊又希望有個能享用餐點的空間，Meisia 桌遊咖啡店才會誕生。

看一看手機，雖然還不到打烊的時間，為了明日行程得早點休息。甫推開店門，冷風迎面而上，Meisia 的溫暖讓人不想離開。從門外再度望向 Meisia 和黃老闆道別，不知道什麼時候會再回來這裡，不過這個夜晚會一直讓我記得，異地的亞洲菜、開心的玩家，以及讓人感到親切的自在氛圍，除了這些，也許還有一點巴黎的浪漫吧。

●罐中裝滿《超級四方城》的促銷板塊，而這個板塊的圖案就是 Meisia ！像這樣的促銷板塊散落在法國各處……，超級玩家也會想辦法收齊吧。●

Germany

EST. 2012
Boardgame Record

最後三分鐘，來自柏林的熱情迎接

從荷蘭轉了三次車才到柏林，放好行李稍事休息，馬上就展開柏林的城市探索之旅。同樣的時間緊湊，必然像個觀光客的行程結束後，相當期待晚上的柏林會帶給我什麼。不時得注意不能待太久，因為整個夜晚太美，柏林頓時成為一個光的城市，這回恰巧碰上光祭，各個著名景點的光雕投影，精彩炫目，讓人忘了時間。埃森展開始的前兩天，已經預定好晚上12點前搭 M13 輕軌電車回到 Kopernikusstr./Warschauer Str. 站，參訪桌遊圖書館 Spielwiese；這是它們首度以同樣的店名成立出版社 Edition Spielwiese，旗下發行的第一款遊戲找來 Uwe Rosenberg 助陣，推出令人期待的《園藝好手》(Cottage Garden)，在規劃行程的過程中，想著既然會來柏林，應該沒有理由不來 Spielwiese，而且搞不好還會碰到 Uwe Rosenberg 本人呢。

Spielwiese並不難找，不過一路上所有店家都關門休息了，真的會有營業到那麼晚的桌遊店嗎？不斷懷疑的同時一邊前進。比預定的時間還早1個小時又3分鐘抵達，因為它們晚上12點關門，想說留一個小時晃一下應該已經足夠，而且隔天周二沒有營業，連著周三也放假，無論如何今天一定得出現在這裡。殊不知，一到店門口發現門外光線昏暗，僅有幾道室內的燈光透過門邊射出，疑似閉店的狀況，頓時讓我說不出話來：「今天剛好提早關門嗎？」，錯愕和驚訝的同時，抱著也許柏林就只來這麼一次，絕對不能錯過的想法，鼓起勇氣把大門推開……

適逢光祭的柏林，布蘭登堡門、洪堡大學，以及柏林電視塔等地都成為光雕投影的地點。

亞歷山大廣場是一個大型廣場和交通樞紐，世界時鐘是一個著名的地標。

適逢光祭的柏林，布蘭登堡門、洪堡大學，以及柏林電視塔等地都成為光雕投影的地點。

見有人闖入，店長Michael Schmitt立刻放下手邊的雜事，上前聆聽我的訴求。「今天特別早關門嗎？我看網路上時間顯示12點才關。」我慌張且急忙的表示。「是啊！通常都是12點關門，不過你知道的，埃森展即將開始了，我們準備打包出發，所以今天只到11點。」他笑著說，並抱著桌遊到另一個桌子上。「所以……剩3分鐘，我可以快速的參觀一下並為這裡拍些照片嗎？」我幾乎喘著在說這些話，甚至害怕被拒絕。「當然沒問題，你可以待久一些，我們不會趕你啦。」聲音從吧檯後傳出，原來是Edition Spielwiese的另一個執行長Rolf Raupach。聽到這麼說，頓時放鬆。

「真是太好了，感謝！你們正忙著準備埃森展的貨嗎？」滿懷感激

●店內的空間不大，最多只能容納 15-20 人●

●店內提供簡單的飲料和餐點。●

●除了新遊戲販售，隨玩家取用的開盒遊戲非常多。●

●門後的空間並沒有對一般玩家開放。●

● Michael Schmitt 表示我可以讓遊戲和埃森展現場布置的花盆一起入鏡。●

●拿到第一盒《園藝好手》了！●

Spielwiese

地址	Kopernikusstraße 24, 10245 Berlin
電話	+493028034088
營業時間	週一、週五：17：00-00：00 週四：19：00-00：00 週六：15：00-00：00 週日、週二及週三公休
網站	spielwiese-berlin.de

的我，開始用相機掃射整家店，一邊關心他們的進度。「是呀，待會夜車會直接出發到埃森市，你應該也會去吧？」Michael Schmitt 看著我問。「會的，對了……我想問你們出版的那一款遊戲……」「《園藝好手》是嗎？」他緊接著和我確認。「對！對！我就是為了這款遊戲來的！請問你們開賣了嗎？」我整個眉飛色舞起來，不知道為什麼超級興奮。「嗯，不過所有的貨都已經上車了說，但是算你好運，我店裡還有一盒沒拆的，就賣給你吧！」Michael Schmitt 爽快的回答。「太好了！」我幾乎要跳起來，來柏林的其中一個目的就是要親手從出版社這裡帶一盒《園藝好手》，沒想到這個願望居然這麼容易就滿足了。

店面雖小，販售的遊戲盒配件可以滿足一般玩家的需求。

看著桌上的各種花盆擺設，可以預料到是埃森展現場要佈置的。等待了一會兒，Michael Schmitt 從吧檯後拿了一盒《園藝好手》給我，並附帶了一張貼紙：「很抱歉，我們在排版的過程出了一點問題，所以你必須用這張勘誤貼紙為遊戲進行勘誤。」他一臉懊惱的說，也許是看到第一盒埃森展遊戲的實體太興奮，我毫不在意他所說的失誤問題，對於經驗還不足的出版公司來說，初次犯錯好像還可以接受。拿到遊戲後，我忍不住又問他：「那……Uwe Rosenberg 今天有來嗎？或許我該說，這幾天他在嗎？」拿到遊戲的下個步驟當然就是簽名啊！雖然這個時間點他一定不在，還是好奇想了解。「他喔，這幾天他已經先到埃森市準備啦，也許你會在展場碰到他。」「對，也是！」我只能這麼回答。

滿足的抱著我的遊戲，同時也開始好奇這家店的由來以及為什麼會成立出版社。Michael Schmitt 表示，這家店是 2006 年開的，平常有許多玩家在這裡玩，因為收費還算便宜，一小時只要 1 歐元，其它的簡單餐飲則是另外再收費；除了現場遊戲，玩家也可以把遊戲租回家，或者購買他們所收藏的二手品、絕版品。此外，他們也很常舉辦活動，甚至可以應邀到其它地方舉辦桌遊活動。會成立出版社 Edition Spielwiese 的原因，就是因為他們每周一晚上的設計師之夜，會有很多設計師到店裡測試遊戲，彼此分享最近玩過遊戲的心得以及設計上的想法，隨著時間累積，吸引了許多知名的設計師到店裡展示剛設計好的 Demo，有些他們玩過之後覺得很不錯，想著與其設計師投稿到其它出版社，何不直接成立一個品牌，發行合他們胃口又符合 Spielwiese 品牌概念的遊戲，秉持著遊戲要簡單、好玩，Edition Spielwiese 推出了他們的第一款遊戲—《園藝好手》。

在來 Spielwiese 前，有在官網看過內部裝潢的照片，也許是使用了 360 度環景照，所以看起來很大很寬敞，實際上扣掉吧檯，容納五張一般正常大小的桌子就已經很擁擠。環顧店面四周，綠色與橘色的搭配以及牆上的青草插畫，讓整家店感覺很清新，不過你還是能感受到四周牆架上堆滿的開盒遊戲所帶來的壓迫感，數量真的很驚人。

Michael Schmitt 接著跟我聊了很多，包括我從哪裡來，這次來埃森展的目的，來了幾次等，是個十分親切的人。Rolf Raupach 則是在一旁不停的忙進忙出，偶爾插進我們兩個的對話。「祝你在柏林玩得開心！」離開前，Michael Schmitt 對我說。「埃森展見啦！」我回答，然後推開門往外走。為了不打擾他們繼續打包，我沒有停留很久，不過如果下次還有機會，很想在現場坐下來，悠閒的玩一盤遊戲。

終於在埃森展現場碰上Uwe Rosenberg。除了《園藝好手》，也一併給他簽新遊戲《奧丁的盛宴》(A Feast for Odin)。

埃森展現場試玩《園藝好手》的狀況，遊戲延伸 Uwe Rosenberg 過去設計的幾何板塊拼放系統。

埃森展現場，Edition Spielwiese 的攤位狀況。

之後到了埃森展現場，在Edition Spielwiese的攤位上他們認出了我，向我招手的同時一邊遞給我《園藝好手》的貓咪明信片，「哇，又見到你啦，這個送你。」收下明信片，有種來探班好友擺攤的感覺；在柏林拿到遊戲的當下有「世界第一盒」的興奮，即使現在埃森展期間遊戲已經開賣了，在開賣前我也沒有做任何先行曝光的動作（諸如開箱、試跑等），但那獨一無二的感受不會離去，永遠的，我會記得倒數三分鐘闖進店內慌張的自己、拿到第一盒遊戲的興奮、聊著埃森展話匣子就停不下來的時刻，以及他們親切的笑容。會再回來的！難忘的 Spielwiese 以及美好的柏林。

備份記憶，柏林桌遊人去哪？

有了掉記憶卡的經驗，這次我備份照片的速度更加頻繁。我喜歡記錄的很詳細，什麼細節都拍，刪不刪都是整理時才需要煩惱的事，因此一到朋友的柏林住處，馬上就借了電腦把大量照片上傳到雲端硬碟。照片能輔助我們的記憶，看到照片能想起很多事，而記錄詳實對於我事後整理故事內容很有幫助。但是無論怎麼做，總是會有你意想不到的事發生，如同這篇柏林遊記，它本來不該存在，因為我太依賴這些照片，以為它們待在雲端電子海好好的，等我需要時能隨時取用，沒想到它們會以檔案損毀的方式把你本來不須擔心的事變得驚悚。也許當初上傳的時候就是儲存不完全，導致隔日下午到晚上的所有照片，全都無法開啟。從最後一張可以開啟的檔案時間，我開始回想那段時間我在哪裡，去了哪些地方做了什麼事，不想還好，

●柏林的夜店有各種各樣的型態，年輕人會相約小酌一兩杯並玩一些可以在酒吧玩的桌遊。●

●東邊畫廊知名的創作《我的上帝，助我在這致命之愛中存活》。●

●這種有趣的自拍機會出現在柏林的各個角落，有黑白也有彩色，拍一次需要 2 歐元。●

●關店的商店櫥窗裡可以發現一些桌遊。●

●晚上一起和朋友來盤《拉密》就已經很滿足。●

一想覺得實在可惜。我試著打撈我腦中殘存的記憶，在它們從資源回收桶中刪除前，應該還能還原一些事。

☀

無論是去看散布於城市各景點的光祭、柏林圍牆的東邊畫廊知名的「吻」還是到夜店小酌，都覺得夜晚的柏林棒極了。晚上回到朋友住處，一邊讓電池充電、清空記憶卡，為明日的海量拍攝做準備，一邊玩起《拉密》(Rummikub)—這是朋友唯一有的桌遊，一切進行的是如此順利。

☀

按原訂的規劃，從猶太博物館開始沉重的一天，沿路上都是有關二戰歷史、希特勒，以及冷戰時代的

猶太博物館有豐富的猶太文物館藏。

猶太博物館中名為《落葉》的作品，這些金屬臉龐彷彿顯露著猶太人的無助與絕望。

故事，我們可以從中了解德國怎麼去彌補過去的傷痕，面對歷史的傷害。一路從猶太博物館步行到恐怖地形圖，再到歐洲被害猶太人紀念碑，是一段不容易消化且令人快樂不起來的旅程，幸好途中的遊戲科研中心舒緩了鬱悶的心情。在這個遊戲科技中心裡，你可以接觸各種科技藝術的互動，以及最新的科技應用，例如VR、AR等，這當中也包含實體遊戲配件如何與虛擬世界做結合，探討虛擬與現實議題的裝置。當然這裡也販售一些桌遊，不過得在櫃檯詢問服務人員，它們才會把限定販售的桌遊拿給你看。我的記憶繼續往下走，但是照片的支援斷在這，遊戲科技中心之後的照片全都消失。印象中結束遊戲科技中心的參訪後，我去了查理檢查哨，並看看當年藏匿間諜的阿德勒咖啡館是否還在（現在已改為愛因斯坦咖啡），然後接著造訪了三家桌遊店。

歐洲被害猶太人紀念碑。

遊戲科研中心有各種科技互動遊戲與相關研究的文獻說明。

猶太博物館展出的文物中，其中一件展示猶太人平日會玩的桌遊—《蛇梯棋》(Snakes and Ladders)。

Game Science Center Berlin

地址	Besselstraße 14, 10969 Berlin
電話	+493052285488
營業時間	週一至週日：11:00-19:00 週二公休
網站	gamesciencecenter.de

兩家是spielbrett oHG，它們的兩家店分別位於地鐵站U7、U9交界的Berliner Str.站，以及U7的Südstern，商品種類豐富繁多，如果想找稀有的、最新的、德國才有的桌遊，這裡能滿足需求。第三家離地鐵U9的Walther-Schreiber-Platz站很近的Buchhandlung Morgenwelt，是令我印象最深刻的桌遊店，一走進去，幾乎快疊到天花板的桌遊、典雅的吊燈、古樸的木架上的桌遊如古書般整齊排列，此外木架上方還有非常大的飛龍模型以及奇幻世界的地圖。埋頭整理桌遊的店長見我推門進來，抬頭看我還推了一下圓眼鏡，深藏不露的模樣好似待會就會施放魔法，就像是走進電影場景裡的古書店一樣，奇幻感十足；店內不僅有即將於埃森展販售的最新品項，同時亦是喜歡奇幻小說、微縮模型，以及角色扮演遊戲的玩家必訪的地方。很可惜這些記錄的照片都已遺失在電子海中，期待哪天會再回訪。

雖然照片損毀令人沮喪，但也有令人驚喜的事發生。博物館島附近一帶除了有許多博物館可以參觀，附近還有柏林大教堂、尼古拉大教堂、柏林電視塔，以及紅色市政廳等著名景點，這一個區域可以規劃由亞歷山大廣場作為起點，一路經過洪堡大學然後直線走到布蘭登堡門。事件始於我在尼古拉教堂一帶迷路，有些道路進行施工使我無法按照原本規劃的路線行走，繞路繞一繞竟然失去方向。習慣做星標旅行的我，通常會根據地圖上打星星的點做點對點的移動，因此在迷路後，我走進一條非計畫的巷子中，並在那裡發現了一家販售百年卡片遊戲的神秘商店—Grand Hand。

spielbrett oHG

地址	Körtestraße 27, 10967 Berlin、Berliner Straße 132, 10715 Berlin
電話	+49306924250、+49308731535
營業時間	兩家店各有不同，請參考網站說明
網站	spielbrett-berlin.de

Buchhandlung Morgenwelt

地址	Rathausstraße 19, 10178 Berlin
電話	+4915140909717
營業時間	週一至週六：10:00-20:00 週日公休
網站	morgenwelt.org

紅色市政廳附近一帶有相當多的景點。

它就突然冒在我眼前，店內昏黃的燈光看起來很溫馨，就像是一間私人的書房，推開門還能聞到混著書香以及濕氣的霉味。我從來不知道自己這麼具有攻擊性，或者哪一點讓老闆防衛心大起，老闆幾乎是扳著一張臉在和我說話，也許對眼的機會都沒有。首先拍照當然是不被允許，再來是問問題完全沒有被好好回應。也許是這裡的卡片遊戲真的有非常珍貴的歷史性，以它的呈列方式以及販售的品項，你知道在德國或是整個歐洲要找到一模一樣的遊戲有其難度，老闆相當保護它們。儘管老闆是那麼的難以應對，我還是以作為一位好客人的態度，試圖了解更多這些卡片遊戲背後的歷史。

現場的品項幾乎每副都是100歐

無意間發現的傳統遊戲販售商店。

店門口的下棋小熊相當吸睛。

Grand Hand

地址｜Rathausstraße 19, 10178 Berlin
電話｜+4915140909717
營業時間｜週一至週五：11：00-20：00
週六：13：00-20：00
週日公休
網站｜mitte.cityguide.de

店門口的特價商品可以挖到一些稀有的遊戲。

●櫥窗裡就可以看到許多稀有又漂亮的卡牌遊戲。●

●卡牌轉架上展示許多卡片，方便顧客轉動查看卡片內容。●

●透著溫暖的黃光，裡面販售許多百年以上的傳統卡牌遊戲。●

元起跳，同時也與年代久遠成正比，年代越近的相對便宜些。儘管一兩百年前的花色與圖案設計是如此的美麗，我還是挑了一副圖案喜歡，有特殊意義，預算內我也負擔得起的《斯卡特》(Skat)，這副牌約在東德時期由ASS Altenburger印製出版，它的牌背印的是礦工Kamerad Martin，本尊雕像立於德國世界遺產艾斯萊本，這裡也是宗教改革領袖馬丁・路德出生和去世的地方。

儘管購物體驗很差，有機會還是希望能回來和老闆聊聊天，了解這些卡片遊戲的歷史，因為我真的沒有在幾次德國的旅行中發現專門販售傳統紙牌的店，也許我該去「斯卡特市」—阿爾騰堡，或者跟這些傳統牌戲淵源較深的城市參訪，那裡會有更多相關的資訊也不一定。

想知道更多？ 什麼是 ASS Altenburger ？

Ass Altenburger 的歷史沿革始於德國城市施特拉爾松德以及阿爾滕堡，是歐洲最大的卡片印製與出版公司。其名稱縮寫 ASS 就是來自於阿爾滕堡 (Altenburger)、施特拉爾松德 (Stralsunder)，以及卡片工廠 (Spielkartenfabriken) 三個字。自 1765 年以來經歷不同地區的工廠合併與收購，歷史相當複雜。近代的變革發生在 1991 年柏林圍牆倒塌，兩德統一不久後，原先慕尼黑的卡片製造出版大廠 F.X. Schmid 被併入 Ass Altenburger，最後又整個被 Ravensburger 收購，原先的 F.X. Schmid 於 1996 年宣告破產並加入 Berlin Blatz Group 成為了現在的 Schmidt Spiele(德國最主要的出版社之一)。ASS Altenburger 則於 2003 年被來自比利時的 Cartamundi 從 Ravensburger 收購，目前每年 (2017 最新數據) 可以生產 4000 萬套的卡片遊戲。

ASS ALTENBURGER SEIT 1765

沿路上許多由中國人或東南亞人所開設的禮品店，也能找到一些特別的桌遊。

無論如何，我在柏林的行程此時也來到尾聲，在一路追趕星標點後，空出一些時間在街上散步，逛逛禮品店當個十足的觀光客並且觀察柏林人的生活，同時回想遺失的照片裡究竟拍了什麼，想想下一次的柏林之旅，桌遊人還可以去哪裡。

綠星人的補充說明時間

《斯卡特》(Skat) 在德國相當流行，這款遊戲於 1820 年的阿爾騰堡發明，屬於「吃墩遊戲」(Trick-taking) 類型的遊戲。《斯卡特》的遊戲人口很多，現今有國際斯卡特法庭成立，規則與玩法得到統一的規範，而且目前定期舉辦國際性的比賽。一副《斯卡特》的牌只有 32 張，從 7 到 A，是一個莊家打兩個對手的遊戲，整副牌總共有 120 分，只要莊家得到 60 分以上，莊家就勝利，但假如莊家失敗的話，兩個對手會獲得莊家叫分的兩倍分數！《斯卡特》有相當複雜的計分系統，主要分為王牌分、達成分，以及基本分。每年台灣大約 5 月的時候，天母的特定場所會舉辦《斯卡特》的比賽，待在台灣來自世界各地不同國家的選手會齊聚一堂比賽。

又被桌遊玩—戰利品開箱時間！

遊戲科技中心販售的遊戲，是一款電腦發展主題的《鐵支》(Quartett) 遊戲。

礦工 Kamerad Martin 版《斯卡特》，要價不菲。

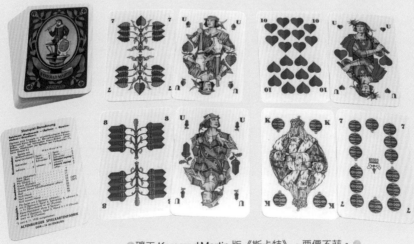

又被桌遊玩—戰利品開箱時間！

三款相當特別的抽象遊戲，我只在這裡的禮品店看到。全系列有 4 款，不過當場只有三款有貨。此外還從這個禮品店帶了一個很像《西瓜棋》的兩人遊戲 Räuber und Gendarm，不過裡面附的規則卻是英國相當流行的彈棋遊戲 Tiddlywinks。

不是只有埃森展，埃森市大探索

●德國工業發展重要樞紐—埃森火車站。●

就像是摩登工業時代的電影場景，看到藍燈與鋼骨結構，你知道又回到埃森這個充滿故事的地方。有人為了趕上列車拔足狂奔、有人坐在月台邊親密擁吻、有人背著沉重的行李和剛打完工的學生閒聊起來，吃了他們給的櫻桃口味硬糖，離開的時候還對他們說：「有機會到台灣來吧。」，並期許這裡發生的故事會有更多延伸。然而，手因為提著重達10公斤以上的桌遊而出現勒痕的身體感，絕對是一群在埃森火車站等候列車的玩家的共同經驗，這是他們與埃森市的發生的故事，一個桌遊人與埃森展的約定，每年如信仰般，一生必須得朝聖一次。

每年10月的其中4天，玩家們會

●過去暖場日舉辦的地點 Unperfekthaus 是一個複合空間，它既是藝術家聚落、創意中心，亦是餐廳和旅店，也有很多工作者在這裡租用共同空間。●

●埃森展地鐵站 Messe West-Süd/Gruga 旁的展館入口，多數玩家會從這裡進出。展館旁是一個佔地非常大的動物園。●

來到埃森市參加埃森展，過去我在我的部落格、雜誌、網路媒體等地方聊過埃森展多次，甚至是為了展覽，整理並撰寫「行前功課文」，目的就是為了有一天自己真的來到現場時可以有所準備，很幸運的，這件事在我經營桌遊部落格的第4年就實現了。現在容我不厭其煩的再次和大家提到「國際遊戲日桌遊展」(International Spieltage SPIEL)(因為在埃森市舉辦，玩家多簡稱為「埃森展」)，但是這篇將不會是你期望看到的埃森展現場，因為埃森展發生的同時，與我生命經驗相關的故事也正發生，它們彼此交疊但又時而分離。

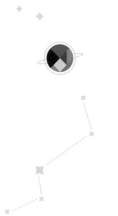

截至2017，過去兩次的埃森展都有把暖場日的活動安排到行程中，但兩次都沒有順利成行，因此每年舉辦暖場日的地點Unperfekthaus，從來沒有進去過。探究原因，暖場日活動與媒體日重疊，即便我腳程再快也分身乏術，加上暖場日是一個需要事先報名的場外活動，我不想中途才加入；無論如何，媒體日是因為工作需要必須參加，為了部落格、為了雜誌，我得到現場進行採訪。我還記得第一次參加的媒體日相當慌張，因為經驗不足，還不知道該怎麼好好記錄一個媒體聚會的場合，媒體日結束的那天我早早就躺床，從來沒有這麼疲累過！情況在第二次參加時有所好轉，不過規則每年在變，申請媒體證的方式也有點不同，例如第一次只需要名片於現場登記，第二次就必須先信件聯繫。

媒體日相當耗費精力和體力。現場 Mac Gerdts 正在展示和說明它的新遊戲《和諧羅馬》(Concordia)。

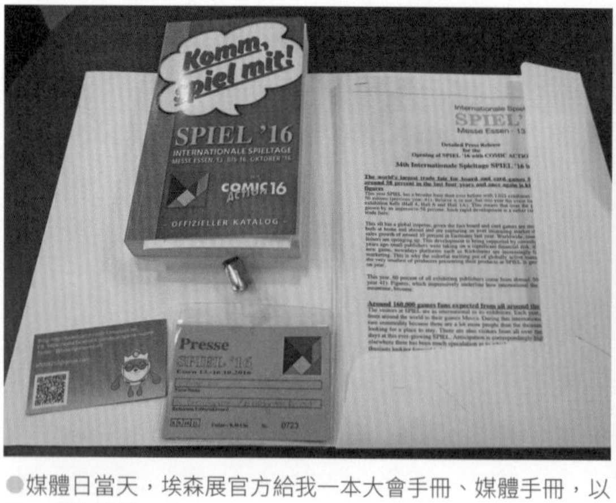

媒體日當天，埃森展官方給我一本大會手冊、媒體手冊，以及一個媒體證。

第一次參加媒體日的情況，遊戲放到窗台邊真的很酷。

除了採訪與記錄，把握機會與設計師和畫師打個招呼是必要的，我曾三次等在 Pegasus Spiele 辦的設計師簽名會前，並問了現場人員數次 Stefan Feld 是否會出現，時間過去十分鐘、十五分鐘後，現場人員只能很無奈的表示：我們都一起被放鳥了，接受吧。現場的粉絲們開始交頭接耳自己的情報是最有趣的地方，「我昨天看到他在某某攤位。」、「他今天本來就不會來吧。」、「你們去看過 Hall Games 的攤位了嗎？昨天他有在那裡。」各種傳言甚囂塵上，大家討論的起勁，話題又繞回他的新遊戲。最後如追星般，如願的拿到他的簽名以及合照，好似這趟埃森展最重要的事已經完成。當然不只 Stefan Feld，只要是你喜歡的作品，你總是會想和這個作品的設計師和畫師聊聊，這絕對是此行除了工作以外，對我來說最有趣的事。

埃森展現場，從二樓的特別空間拍攝。二樓空間是過去媒體日舉辦的地方，第二次參加時則是挪到地下室舉辦。

Vincent Dutrait 為我繪製了一個頭像。

另一個我相當喜歡的設計師 Mac Gerdts。

大家都在等待 Stefan Feld 現身，可惜他缺席了。

直接到出版社攤位詢問 Stefan Feld 什麼時候會在，順利取得簽名。

畫師親力親為，一個接一個幫玩家簽名作畫，相當用心。圖為《鼴鼠大兵》(Topoum) 畫師 Pedro Soto 畫給我的內容。

很幸運的，每年固定參與由 Matthias Nagy 舉辦的桌遊媒體人聚會，來自世界各地的桌遊部落客、播客、Youtuber 等，各式各樣的媒體人都在聚會中一起交流。大部分參與的還是德國的媒體居多，德文不好的我，永遠記得第一次參加的尷尬，坐在我前面的 Manu Uz 夫妻檔人很好，即使他們的英文真的不太行，還是擠出一些字跟我來個很基本的溝通；最後他們提出玩個遊戲，真是個好點子也化解尷尬，遊戲就是我們共通的語言。第二次的場地有點難找，離聚會只剩5分鐘不到，我迷失在一條酒吧街裡，但那天一間酒吧裡的人特別熱情，即使看我四處搜尋聚會地點忙得很，還是想拉我來玩一場 KLASK；KLASK 真的很好玩，遊戲主要用磁鐵控制自己的人偶，就像氣墊球 (Air hockey) 一樣，玩家要把球踢進對手的得分圈，先取

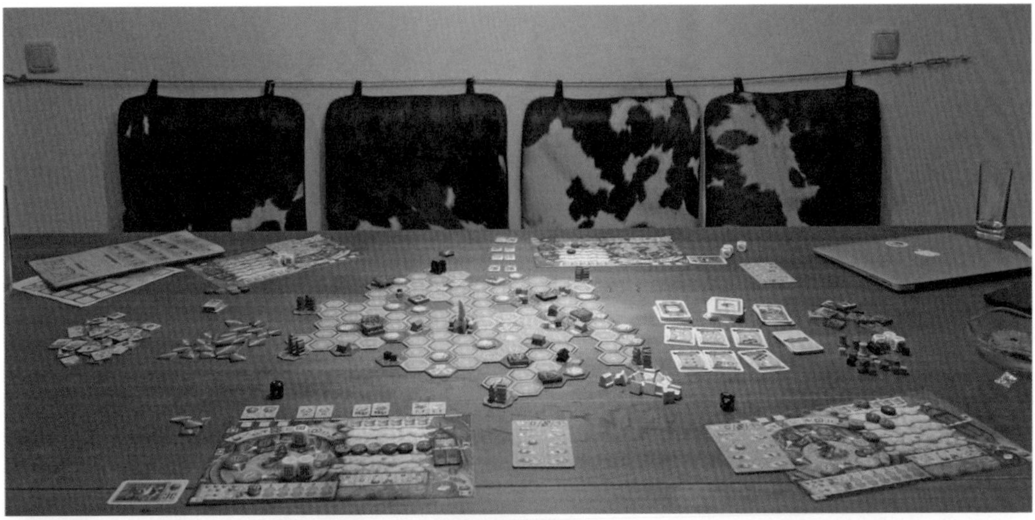

埃森展結束回到飯店馬上打開新遊戲來玩是最棒的事。

一間每桌都放了一個 KLASK 的小酒吧，店內的人都很熱情。

第一次參加桌遊媒體聚會，因為語言不通，只能一起玩個《錢幣世紀》(Coin Ages) 化解尷尬。

得6分以獲得勝利，如果遊戲過程中不小心吸住場中央的2個白色障礙，對手會得分，如果讓對手進自己的得分圈，對手也會得分，相當考驗手眼協調。我最後還是拒絕了，共拒絕了三次，因為我想準時出席。第二次的聚會就順利了些，與會人員更多，同時因為自己已經掌握一些德文，至少可以了解大家討論的內容大概是什麼。美好的時間總是過得特別快，通常聚會結束後，埃森展也已經來到尾聲。

「嘿，你買了什麼？」一旁等著同一班列車的三人組問我。「非常非常多，不過都寄回家了，手邊只有一些小的，像是這個……這個……」邊說邊向他們展示我今天剛買的新遊戲，然後不知不覺就和他們聊開，反正下一班車大概還會需要

第二次參加時，桌遊媒體單位成指數增長

和德國最大的桌遊媒體Hunter & Cron合影，每年7月左右會舉辦為期兩天的柏林桌遊展。

Manu Uz 夫妻檔帶來他們自製的解謎遊戲，一個大皮箱裡又有好多個皮箱，玩家必須一層一層解開才會找到最深層的秘密。他們經營的媒體是 Spiel doch mal。

埃森展結束時，大夥在出口聊今天買了什麼、待會去哪玩。

等車時和一旁玩家聊起來，大家互相推薦有興趣的桌遊。

來自法國的夫妻檔推著他們埃森展第一天的戰利品。

等12個小時這麼長吧。每個人都有他們買遊戲的動機，一對從法國來的夫妻檔告訴我，他們每年到埃森展會買好一年要玩的遊戲，之後到下一年埃森展前，絕對不買任何遊戲，看著它們推車上滿到不行的戰利品，我相信這是真的；然而眼前這群美國三人組則是因為有招待親朋好友的需要，平常也有固定的桌遊聚會，在朋友的提議之下，三個人真的組團來埃森展晃晃了。聊到後來幾乎快忘了時間，對面月台的老先生還一起加入聊天行列，整個場景和氣氛相當歡樂，就差一起站起來跳個舞。他們說這次最愛的遊戲是《輝煌的羅倫佐》(Lorenzo il Magnifico)，迫不及待想要回家開，正要問他們之後有什麼計畫時，列車來了。這是埃森展最常見的情景，最令人懷念的大概也會是這個時刻，每個人分享他自己熱愛的事物，即便對方素昧平生。

又被桌遊玩—戰利品開箱時間！

展中大出版社的遊戲之後容易取得，除非有特殊贈品，推薦試玩或購買這些比較難取得的遊戲。展場上一次收齊 Jeux Opla 的遊戲。像這樣的遊戲很多，礙於篇幅，分享自己最愛的部分遊戲。

Jeux Opla 第一次參加埃森展受到很大的歡迎。

在埃森展上買的遊戲很多，不過由 Jeux Opla 出版的遊戲是我認為最好的收藏之一，首先是因為美術相當喜歡，遊戲的內容有些具有知識性，同時也很多元有創意，加上出版社的型男總監願意上鏡，當然要來推薦一下！當年很幸運的碰上它們第一次參展，因為知道法國的遊戲取得不易，所以一次買齊。後來隔一年到法國則買了三部曲的最新一款，順利讓封面完整拼接。

Le Bois des Couadsous

Il était une forêt

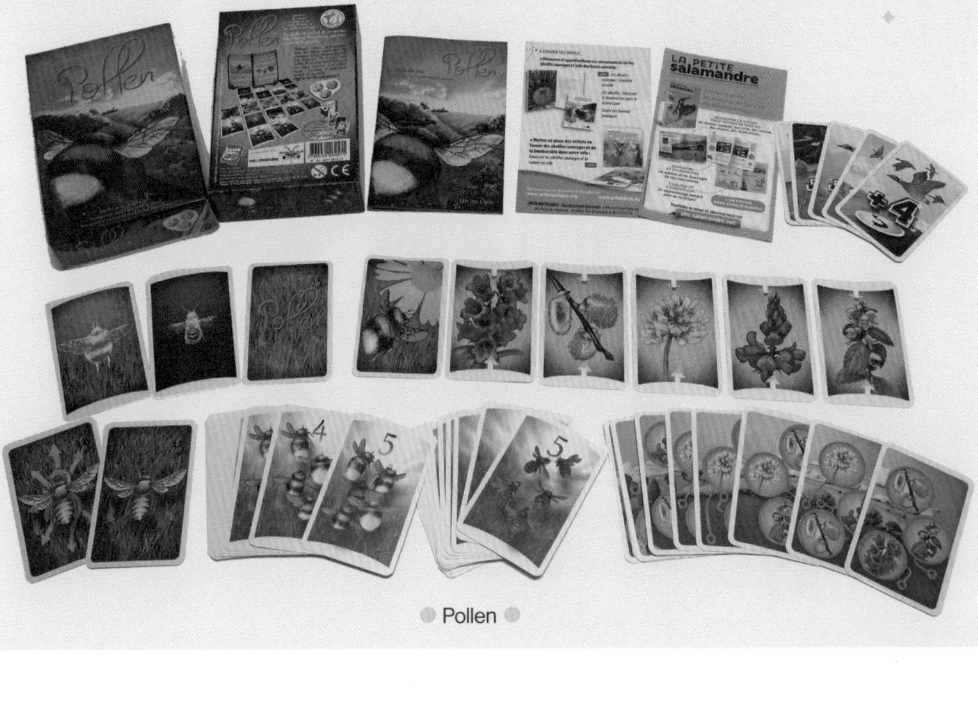

Pollen

又被桌遊玩─戰利品開箱時間！

Hop le j'ton

Hop la bille(以上這三款的封面有連續性)

Hop la Puce

Ice and the sky

又被桌遊玩—戰利品開箱時間！

Migrato

Lincoln: Se Met au Vert

●埃森展有很多神秘的空間和角落，有些是戶外小酒吧，有些是捷徑通道。●

●四天的埃森展很快就結束，圖為展期每日的進出識別環。●

探索新遊戲、挖寶老遊戲等事已經熟悉不過，儘管第二次參加就已經開始覺得展館與展品太多而覺得無法負荷，但對大部分的桌遊人來說，4天的密集轟炸應該都還是甜蜜的負擔。於是你開始尋找展場中你不曾去過的角落、偷個半刻悠閒嚐試攤位上的食物、開始觀察和分析展場中的人和行為、你發現原來展館側邊看起來封密的門其實可以開，門外可以是另一片新天地，甚至是不同展館間的快捷通道。事情很有趣，但也有結束的時候；你希望了解更多，你想知道除了埃森展，你還可以在埃森市做什麼、看到什麼，一股這樣的念頭閃過，不去執行也不行，你會一直惦記著，或許回到台灣後都還覺得當時去看看什麼就好了，衝動的事就是要在有衝勁的時候做。那就走吧。

埃森火車站附近就有 Galeria 百貨公司，它們在埃森展現場也販售非常多的桌遊，多數有非常好的折扣。

離埃森火車站不遠的 Games Workshop。

假如埃森展的行程順利跑完，不妨從4天的行程中撥出一天來一趟埃森市之旅，好好了解這個卸下工業發展重點區域的歷史城市，如何轉型成現在這個樣子；我是這麼想的，但是我從每天埃森展的行程額外撥出一點時間，沒有集中在同一天。從下塌的住處—地鐵站 Berliner Platz 開始到埃森火車站周遭一帶，就有相當多的看點和去處，不過如果要去像是桌遊店的地方，大多散佈在郊外，附近只有 Games Workshop，或是玩具反斗城。玩具反斗城其實是個相當好挖寶的地方，雖然你不會找到玩家級的遊戲，販售的桌遊品項也已經可以媲美一間桌遊店。埃森市的玩具反斗城，不只可以買到你想要的桌遊，埃森展展期已近西方最重要的節日—聖誕節，因此你也可以在這時候買到聖誕倒數月曆、聖誕糖果等。

想 知 道 更 多 ？ 什麼是 Games Workshop ?

Games Workshop 是一間於 1975 年創立，總部位於英國諾丁罕的遊戲出版與零售公司，旗下有《戰鎚 40000》(Warhammer 40000)、《魔戒》(The Lord of the Rings Strategy Battle Game)、《暴力橄欖》(Blood Bowl) 等遊戲。它們的主力在生產微縮模型遊戲，同時也有許多為了老手玩家開發的遊戲，專屬雜誌白矮人 (White Dwarf) 自 1977 年發行至今，每年的金惡魔 (Gold Demon) 模型塗裝大賽也吸引許多玩家參與。現今可以輕易在世界各地發現 Games Workshop 的連鎖門市。

Games Workshop

地址 | Kettwiger Str. 45, 45127 Essen
電話 | +4920182178540
營業時間 | 週一到週五：10:00-20:00
週六：10:00-19:00
(週日公休)
網站 | toysrus.de

Toys"R"Us

地址 | Hollestraße 3, 45127 Essen
電話 | +49201894690
營業時間 | 週一到週五：10:00-20:00
週六：10:00-19:00
(週日公休)
網站 | toysrus.de

埃森市的玩具反斗城就在火車站旁。

不只品項多，價格也很實惠。

●銷售排行榜呈列的都是當時最熱門的商品。●

●想體驗聖誕倒數可以在這裡買一個，因為台灣幾乎沒有販售。有的聖誕倒數月曆是桌遊、解謎類型的，一定要收藏一個！●

●十月就開始販售聖誕節的相關商品。●

●現場絕對會有的兩大德國品牌：KOSMOS、Ravensburger Spieleverlag GmbH●

店內挖寶趣！來看看我在這裡發現了什麼……

幾乎各大熱門電影、漫畫人物都有聖誕倒數月曆。一些知名品牌如風火輪也來一個聖誕倒數月曆。

《德國十日遊 (10 Tage durch Deutschland)！過去《十日遊》(10 Days in...) 系列都只發現美國或歐洲版，喜歡這類遊戲的話不要錯過這個在地化的版本。

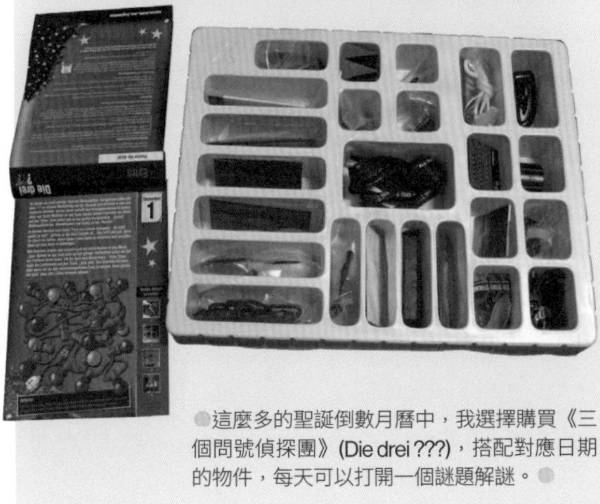

這麼多的聖誕倒數月曆中，我選擇購買《三個問號偵探團》(Die drei ???)，搭配對應日期的物件，每天可以打開一個謎題解謎。

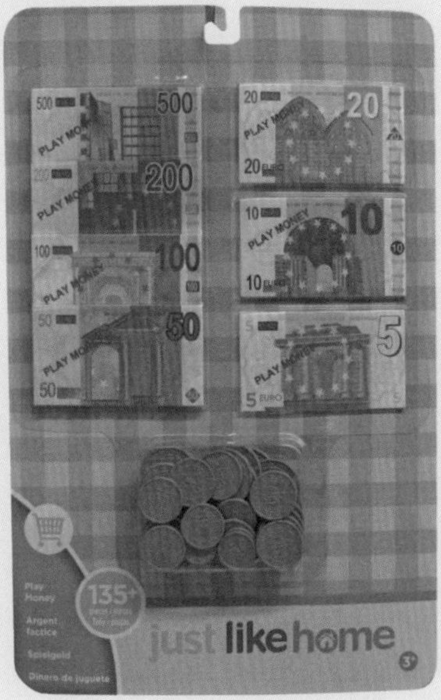

需要歐元代幣的話，這個商品是不錯的選擇。

綠星人的補充說明時間

《三個問號偵探團》(Die drei ???) 是 Robert Arthur, Jr. 於 1964 年出版的著作，原名為《希區考克與三個探員》(Alfred Hitchcock and the Three Investigators)。該書德文版由 KOSMOS 發行，並於 1999 年推出由 Ulf Blanck 新編寫同名青少年讀物，總共有 56 集。封面上三個不同顏色的問號代表故事中三位主角，白色問號是智慧，藍色問號是幽默，紅色問號代表勇氣，三個問號的結合代表「友誼」。故事有一半文學性、一半偵探性，裡面各個案件可以考驗青少年玩家的邏輯思考與推理能力。KOSMOS 為《三個問號偵探團》推出非常多的桌遊。

《三個問號偵探團》的相關桌遊非常多。

(圖片來源：出版社 KOSMOS)

離 Games Workshop 只有幾百公尺之遙的埃森大教堂 (Essener Dom) 是埃森市的看點之一，松綠色的教堂尖頂相當有特色。這是一座屬於羅馬天主教的教堂，創建於 845 年，供奉相當著名的黃金聖母。埃森大教堂旁的教堂禮品店裡可以發現一些桌遊，不過還是以翻同樣圖案玩法的《釣魚遊戲》為主。離埃森大教堂不遠處則有一個相當重要的猶太教堂 (Old Synagogue)，裡頭收藏許多猶太文物，可以了解猶太人的歷史和文化。除了這些景點，來到埃森市必去的地方一定非關稅同盟煤礦工業建築群莫屬，這是德國工業發展非常重要的建築，因應鋼鐵危機與煤礦需求減少，自 1993 年開始已經不再運作；此建築於 2001 年被聯合國教科文組織指定為世界遺產，並將園區開發成博物館，除了常設展以外，也常規劃與埃森市相關的

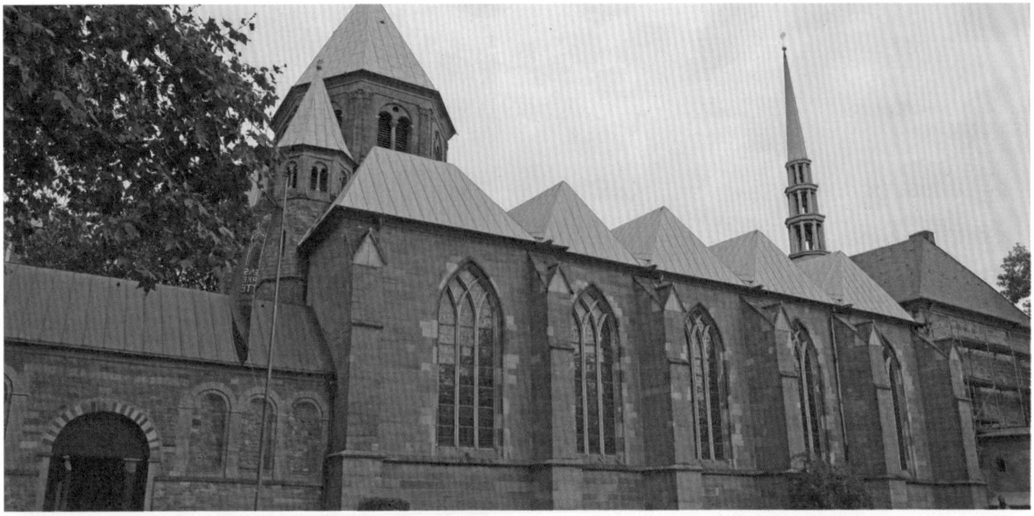

●埃森大教堂的松綠尖頂非常漂亮●

●埃森大教堂旁的花市可以觀察埃森人晨起的活動。●

主題展，例如 **2016** 年造訪時，剛好有魯爾工業區的搖滾樂主題展。同樣位在關稅同盟煤礦工業建築群內，可以一併參觀紅點博物館，每年徵件的紅點設計大獎的得獎作品都在這裡展示，和德國 **IF** 產品設計獎以及美國 **IDEA** 獎並稱為世界三大設計獎的紅點設計大獎絕對值得一看。目前紅點博物館在世界上有兩個分館，其中一座位於松山文化創意園區，我想這與台灣每年有許多人得獎有那麼一點關係吧。

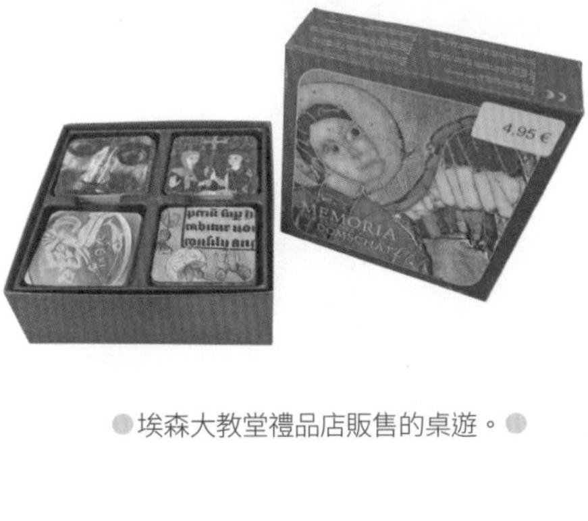

●埃森大教堂禮品店販售的桌遊。●

●猶太教堂裏有相當豐富的文物與歷史文件。●

●埃森是鋼鐵工業先驅克虜伯 (Krupp) 家族的發跡地，所以你會在這裡看見 Alfred Krupp 的雕像，這樣的雕像在魯爾博物館中也有。●

●猶太教堂呈列的文物中除了木製拼圖玩具還有一些遊戲圖畫書。●

●猶太教堂附近有 Rathaus Galerie Essen 大型購物賣場，裡頭有販售包含桌遊的各式各樣商品。●

Essener Dom

地址 | Kettwiger Str. 42, 45127 Essen
電話 | +492012204206
營業時間 | 週一到週五：06:30-18:30
週六和週日：09:00-19:30
網站 | www.dom-essen.de/

前往關稅同盟煤礦工業建築群需要搭乘輕軌電車 107 號，不過上車後看到地圖資訊說 108 號也有到。從輕軌電車上的資訊你會發現更多埃森市的景點地圖，可以看出埃森市極力發展觀光不餘遺力，但是沒有與埃森展做結合有點可惜，這樣的情況與鄰近的赫內市相同，因為赫內市與埃森市同樣因為煤業衰落而面臨轉型，因此每年 5 月間赫內市舉辦的 Spielewahnsinn 遊戲展覽會，就是一個以觀光為導向的桌遊聚會。無論如何，你會在關稅同盟煤礦工業建築群深刻了解魯爾工業區的前世今身，是埃森市除了埃森展以外最棒的造訪地點。

搭乘輕軌電車 107 號線到電車 Zollverein (Bstg 2) 下車就可以到達關稅同盟煤礦工業建築群。

紅點博物館是整個建築群的一部分。

魯爾博物館具標誌性的煤礦塔。

煤礦燃燒鋼鐵的顏色呈現在整個魯爾博物館中。

魯爾博物館內部保留原本工廠的樣貌。

從魯爾博物館頂樓可以看整個埃森市。

●魯爾博物館常規劃與魯爾工業發展有關的主題展。●

●魯爾博物館內的禮品店也可以發現一些桌遊。●

Glück auf 有「平安出坑」的意思，是礦工彼此的招呼語。

紅點博物館內有非常多經典的設計精品。

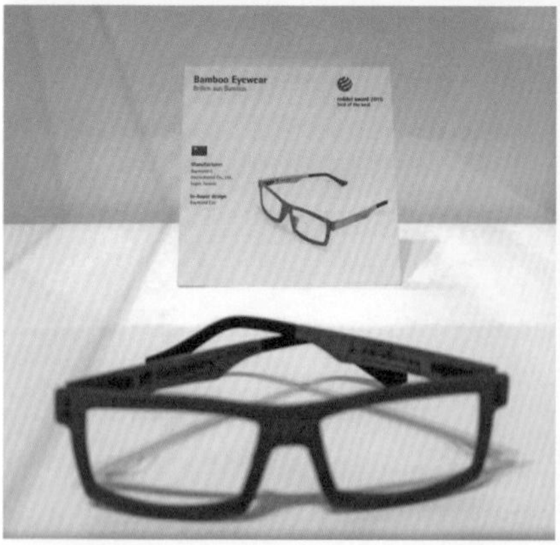

紅點博物館裡也有非常多台灣的得獎作品。

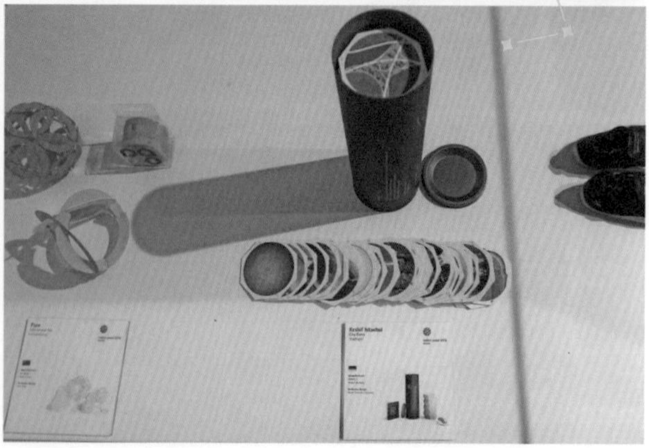

場中唯一一件桌遊的設計品 Keshif Istanbul。

綠星人的補充說明時間

Keshif Istanbul 由 DINAH-F studio 景觀設計與建築設計工作室所出版製作，遊戲的目的是探索伊斯坦堡，採用的機制為類似《釣魚遊戲》，找出兩張一樣圖片的玩法，不過這裡是找出兩張一樣主題的照片，而非完全相同的照片。卡片總共有 81 張，一面只有線稿和符號，一面則是城市景觀圖。

(圖片來源：Red Dot Design Award)

機場商店的桌遊品項。

塞好行囊，每每在桌遊滿載的情況下離開埃森，並給自己約定明年一定再來，我們與埃森的故事只會越寫越多。離開前不忘桌遊，杜賽道夫的機場商店也能發現一些驚喜，因此別忘了預留尋寶時間。當然，你腦中仍舊想著這次埃森展的新遊戲，或者計劃回到台灣準備要開的第一款是什麼，因此乾脆什麼也不買，僅帶走一張寫著「我愛埃森」的明信片也是不錯的吧。

關稅同盟煤礦工業建築群

(魯爾博物館、魯爾當代藝術館、紅點博物館)

地址	輕軌電車 Zollverein (Bstg 2) 站
電話	+492012204206
營業時間	根據參訪的地點有不同的時間。
網站	ruhrmuseum.de、red-dot-design-museum.de

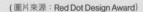

Ass
Solitär

Fantasy
MAU MAU
HABA

DFB MAU MAU
DOPPELKOPF
LORIOT
POCKET GAMES

Pflaster
moses.
POCKET GAMES
SPIELE
REISE-SPIELEBOX

I
Essen

●我愛埃森！●

店內挖寶趣！來看看我在這裡發現了什麼……

除了兒童遊戲、家庭遊戲，輕便的卡片遊戲以外，這裡販售最多的多是這種複合型多合一的桌遊，同時也反映了機場對客群考量的選品內容。

喜歡德國足球明星的話，可以考慮這個含有閃卡的卡片遊戲，裡面總共有 10 種玩法。

這種旅行組深受旅客喜愛，裡面內含 18 種遊戲。

又被桌遊玩—戰利品開箱時間！

一盒 Loriot 可以讓你玩多達 9 種的卡片遊戲，有兩副牌，共兩種牌背顏色。很妙的是裡面一本規則書都沒有，也許是打定購買的玩家都會玩遊戲盒列出來的遊戲吧。

又被桌遊玩—戰利品開箱時間！

《笑笑羊大電影》Mau-Mau 卡片遊戲，這樣的卡片遊戲很適合買來當作禮物。Mau-Mau 是德國、波蘭、荷蘭等地相當流行的卡片遊戲，比誰先出完牌獲勝，類似 Uno 這樣的遊戲。

魯爾博物館中販售的 ZECHEN STECHEN - Das Quartett der Ruhrbergwerke，是一款用煤礦塔的數字資訊玩吃墩的特別遊戲。

《海底總動員 2：多莉去哪兒？》的桌上遊戲，看到那些貝殼又想到電影中令人感動的場景。

特別為你；永遠守候

這樣的產業道路旁，真的會有桌遊店嗎？

結束了埃森展的媒體日活動，離 All Games 4 you 的關店時間已經剩不到三個小時，我拔腿狂奔衝向地鐵站，還因為一時心急踏錯開往不同方向的車廂，幸好站定前還是有左顧右盼確認一下。行前瀏覽過 BGG 版友推薦的埃森當地桌遊店，數量並不多，相較沒有時間限制，凌晨造訪也可以但是需要電話預約的 Fantasy Encounter，我選擇了 All Games 4 you，不過網路上有關這家店的資料並不多，想想索性就帶著冒險的精神去尋訪吧；車上，翻閱行前筆記上預先找好的 Google 地圖，心中充滿期待與想像。

回到埃森地鐵總站，這回要從 U Bahn 轉往 S Bahn，我來回穿梭在也許是當地人也許是觀光客的擁擠人群中，焦急的尋找 S Bahn 開往 Essen-Holthausen 站的月台；看著月台邊布告欄上密密麻麻的站表，我已經無法思考太多，決定接下來這一班列車就踏上，如果沒有順利抵達目的地，那麼就明年再訪吧。幸運地，我在 Essen-Holthausen 下了車。

Fantasy Encounter 在埃森展上也有攤位。

☀

時間已近傍晚，我按圖索驥，搭配時常失去作用的衛星導航，沒想到路途比預想的還要遙遠。時間越是緊縮越是焦急，希望能至少在閉店前的十分鐘抵達，能做的只有加快步伐。我來到一棟看起來很像是倉庫的房子，房子前面有一個 All Games 4 you 的招牌，上面寫著圖板遊戲、卡片遊戲，於是我走向倉庫並敲了其中一個門，當然，無人應門，我想著這也許就像是電影裡的情節，已經到了目的地但是因為沒有注意到小細節而失去進入的機會。我的目光掃視了倉庫以及周遭環境，真的沒有任何「桌遊店」的跡象，於是我轉往位於倉庫左邊的小販，向他們問了去路，不過此時英文在這裡無法溝通，我只能一直比向那塊招牌，不斷重複著 All Games 4 you，表明自己想到那個地方，但他們似乎還是不解我的意圖……

一路上都有埃森展的廣告標示。

一直看到標示，但是為什麼找不到呢？

終於找到了！

由於我太執著想要找到，另一個老先生從門後走了出來，二話不說的把我帶往 All Games 4 you 的方向走，並指示再往前一段左轉便是我的目的地，向他道謝後衝也似的往前移動，回頭望，他還看著我是否有轉進正確的小路裡，頓時感到窩心，再次跟他揮一揮手他就笑著離開了，也許一方面也好奇怎麼會有個東方臉孔跑來這麼偏僻的地方吧。

☀

這一次是真的找到了，原來它隱藏在兩個轉角內的房子裡，所以地圖上會顯示在同一個位置，這也是為什麼我會以為外側的倉庫就是 All Games for you 所在地的緣故。順著指標往前走，映入眼簾的是一大塊停車的空地，周遭是灰藍色的倉庫建築，除此之外就滿是郊區常見的樹群，我很驚訝居然有桌遊店會選在這裡落角，附近並沒有方便的交通，而且它還藏在道路旁房子的另一側。我像是不速之客，突然闖入一個神祕的建築裏，這裡安靜地足以聽見心跳聲，於是我不自覺的也躡起腳步，緩緩的探向入口，此時飄來一股實木家具的味道，樸實且令人放鬆。

遊戲的品項非常多，需要花點時間查找。

首先映入眼簾的是幾個木製大櫃以及一張木桌，擺著的是奇幻類以及集換式的遊戲，其中也不乏模型類的大作；環顧四周，一時還搞不懂整家店的風格與擺設章法，鐵架、鋁架、玻璃櫃，以及特殊造型的木櫃，全都是陳設的一部分，上頭擺滿各式各樣的桌遊，說不上亂，因為桌遊確確實實整齊的放在架上，然而腦中頓時只有一個想法：這裡一定有很多寶藏！心中難掩雀躍情緒，一方面是真的找到店了，一方面是這裡像是個藏寶庫，一定有很多角落可以滿足我的好奇心。一陣欣喜之餘才注意到整家店完全沒有任何一點聲響，也許是趨近閉店時間，店內沒有任何一個客人，這時我才開始尋找店主人的位置，或者可以稱之為櫃檯的地方，希望不至於表現得太過冒失。

●入口區擺的都是微縮模型、角色扮演類型的遊戲。●

●兒童區在進門的右手邊。●

●遊戲的品項非常多，需要花點時間查找●

●各大出版社都有自己的專屬區域。●

仔細聆聽，微弱的敲鍵聲從前方傳來，順著聲音的方向往前看，一位背對著我，身著綠色毛衣的白髮老人坐在辦公室大椅上，專心的處理眼前的文件，從他那金色的圓框眼鏡看起來，就像是個腹有詩書的教授，整家店像是桌遊圖書館的靜謐氛圍搭上幾盞聚焦展示燈，突然覺得很有神秘感，而他似乎已經先用耳朵查覺到我的存在。我緩緩走向前，注意到電腦螢幕上正顯示著《太陽之家》(Haus der Sonne) 的規則書，心想原來他在研究今年埃森展新遊戲的同時，我經過他的身邊，但他仍不為所動，專心的看著文件，基於禮貌，我想和他打聲招呼，但又怕打斷他閱讀規則，最後還是決定向他點頭示意。他沒有說話，不過用手比了個歡迎參觀的手勢，當他正準備繼續專心他眼前的事，我抓準時機問了是否能夠拍照，他微笑點點頭，此時門外突然

他非常專心的在做事；他的工作就是他的日常生活。

當時埃森展才會發售的遊戲，例如圖中桌上的《血腥旅社》(The Bloody Inn)，已經可以在這裡買到。

也閃進幾位趕最後關店時間買遊戲的客人。

此時真的放鬆的逛了起來，整個店空間大致分為前中後三塊，前門有一張很大的《魔法風雲會》(Magic: The Gathering) 遊戲桌，周遭可以看到一些宣傳廣告和立牌，應該也有在這裡舉辦比賽；緊連這一區的隔壁架子上有許多兒童遊戲和玩具，同樣以 HABA 出版的遊戲為大宗，一片黃澄澄的很好辨認。中間櫃檯前方的區塊則是放有各家出版社的桌遊出版品，從家庭遊戲到重策略遊戲都有，而且還有許多年代久遠的遊戲彼此交錯著，不過可以看得出來有做系統性的分類；這一區後方一點的位置有一個出清區，上面有許多價格非常優惠的二手遊戲、冷門新遊戲，雖然整家店不大，但是種類和品項多到一時半刻要全看完並做出決定購買什麼很不容易，總是得帶一些只有這裡才買得到或自己尋找已久的遊戲吧，查找資料也會花上一些時間。

店內挖寶趣！來看看我在這裡發現了什麼……

如果你想替換《石器時代》(Stone Age) 的骰盅，這裡非常齊全。此外小配件也有非常多選擇。

《艾托雷恩市集》(The Market of Alturien)，很多美術很好，但是評價很低的遊戲，在這裡的命運也相同，都被堆到很深的架子底下。

Nanuuk! 像這樣冷門又不見經傳的遊戲，這裡非常多。

看起來很惡搞的德文版《大師畫廊》(Masters Gallery) — Duckomenta，特價只有 3 歐元。特價區有很多「銅板桌遊」，裡面不乏絕版又好玩的品項。

比較讓我驚喜的是和倉庫相連的後半段區塊，埃森展上才發售的遊戲其實這裡早就可以買到！只是以售價來看，不見得會比埃森展上便宜，但是想要搶鮮的話，當地玩家也許會來這裡採購也不一定。這些新遊戲就這樣隨意的擺在鐵架上，但我沒有想要現在就帶走它們。這裡架子上擺得更多是冷門遊戲，大多是以5歐元、10歐元的出清價在販售，而且你有機會在這裡挖到你心中的寶，例如對許多重策略玩家來說最喜歡的出版社Splotter Spellen，其於2002年出版的《坎城影展》(Cannes: Stars, Scripts and Screens) 這裡就有好幾盒，不到10歐就能帶回家，雖然評價不高，但是想收齊出版社早期絕版作品的話，簡直是不可多得的機遇。

店面最後面有一個大桌的空間，可以在這裡試玩遊戲。

數個架子上的遊戲都是這樣散落放置，已經無法進行分類。

雖然已經挑了一些自己屬意的遊戲，還是不免迷失在這偌大的桌遊迷宮中，一方面沒有看過的遊戲太多想了解評價後再決定，一方面因為美術視覺所吸引的遊戲也太多而無法全部帶走，要不是閉店時間將近，我應該無法把我從「買這個好？還是買那個好？這個這裡買好嗎？」的寡斷狀態抽離。最後精選了我認為別處買不到的遊戲，一股腦兒的全都擺在櫃檯上，此時前一個客人剛與這位白髮老人結束談話並離開，時間正好6:30分，我是店裡最後一位客人。

當期、過期的Spielbox這裡可以找齊，如果你缺特定期數的擴充，一定要來找找。

全新、二手絕版品多到你不知從何挑起。

「嗨你好，我想要這些。」我用英文說著，白髮老人疑惑的看著我：「你好，你從哪裡來？」「台灣。」我說：「這是我第一次來德國，我來參加埃森展。」他聽了之後非常開心，指了指桌上擺的一款遊戲—《修道院長的任務》(Domus Domini)，我一眼即認出是這次埃森展的新遊戲，但是基於我認為可以在埃森展才買，所以並沒有在這次購買的行列中。我有點疑惑，但他接著繼續說：「要試試這個遊戲嗎？這次埃森展上會販售，但是我可以給你便宜3歐元的價格。」我遲疑了一會兒，他接著又說：「這是我今年的新遊戲。」突然我一陣驚喜，原來他是設計師Heinz-Georg Thiemann！他曾設計過一款知名的遊戲—《蒸氣星球》(Planet Steam)，也是他初入設計領域的第一款遊戲，《修道院長的任務》則是他睽違7年後的第二款作品。頓時我有好大一堆的疑問想問他，更別說立刻買下一盒然後請他簽名了。

二話不說，我把《修道院長的任務》疊在我購買的桌遊上，然後詢問他是否能夠為我簽名，他一口答應。簽名的同時繼續與他聊了更多，因此了解他幾十年來都一直待在這家店，每天不停的研究各種桌遊的規則以及進存貨的工作。這裡就是他的個人書房，裡面都是他精心收集的桌遊商品，期待每個來到這裡的遊客都能夠找到喜歡的遊戲。我問他是否隔天會到埃森展現場，他僅回答只去特定時段，因為他還需要顧店，搞不好不會去也有可能，展覽現場會有他的支援人手替他照顧 All Games 4 you 的攤位；想想也許我真的很幸運能在他推出相隔這麼久的作品後來拜訪他。

和藹又親切的 Heinz-Georg Thiemann 與他的兩件作品：《修道院長的任務》和《蒸氣星球》。

他仔細的替我包裝購買的遊戲，我環顧了四周，然後看著面前的這位設計師，白髮是他的生命軌跡，也記錄了桌遊歷程，他就是認真的桌遊人，為桌遊付出了自己的時光，永遠待在這裡為桌遊守候，這時我明白店名 All Games 4 you 的另一層含義。離開的最後，我問他能否替他拍張照，也許並不習慣面對鏡頭而顯得彆扭，本以為他會拒絕，不過最後他親切的把雙手放在自己設計的兩款遊戲上，並且對我說「好吧，特別為你。」拍了照我走出門外，向他揮手道別。

又被桌遊玩─戰利品開箱時間！

這次從店裡購買的商品。

《快樂家庭》(Happy Families) 是一款傳統的卡片遊戲，目標是組成一個完整的家庭，卡片上有許多職業可以讓玩家問問題。

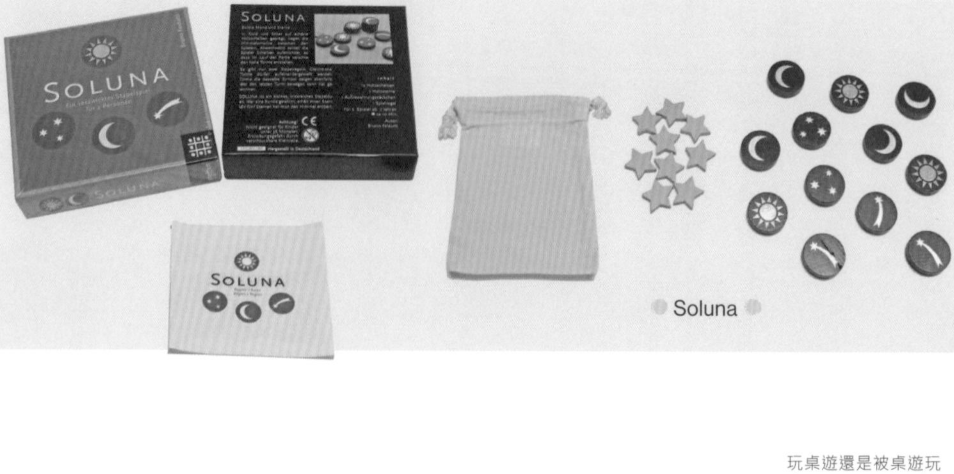

Soluna

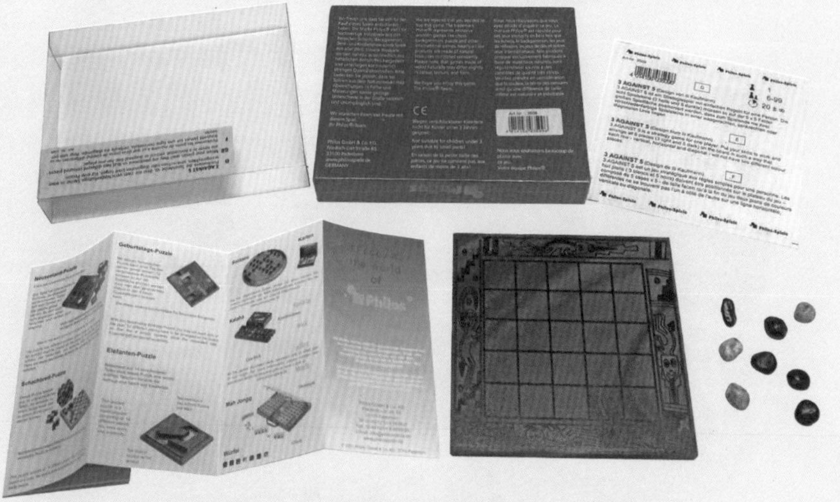

3 Against 5，是一款單人類似《數獨》(Sudoku) 的遊戲

Boomerang

又被桌遊玩─戰利品開箱時間！

Die Wiege der Renaissance

Manitou，很喜歡 Goldsieber Spiele 的出版品，
因為美術都做得很好，很合我口胃！

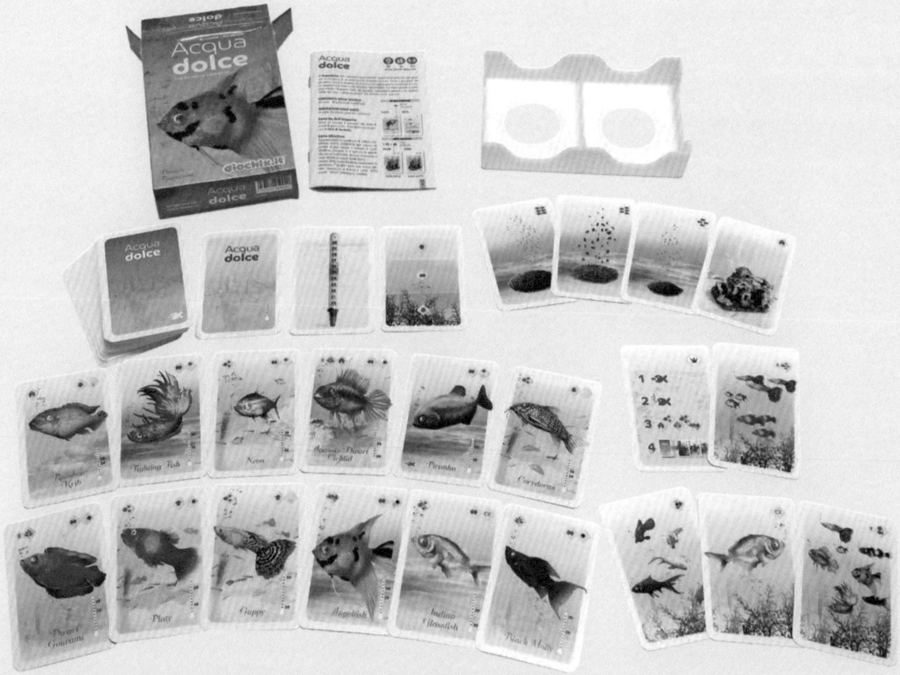

《水族任務》(Acqua Dolce)，剛接觸桌遊玩到的遊戲，很懷念但是一直找不到地方買，現在終於收回來。

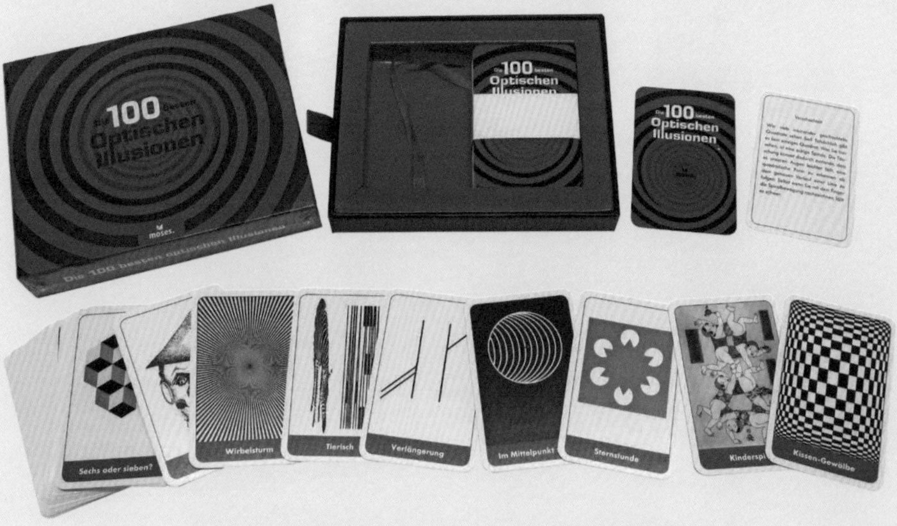

Die 100 besten optischen Illusionen，這款不是桌遊，只是一種視覺遊戲的圖案收集，裡面有一百種視錯覺的圖片。

又被桌遊玩—戰利品開箱時間！

出版社 Ragnar Brothers 早期出版的《盛開的花園》(Blooming Gardens)，很喜歡這種百科資訊圖的插畫。

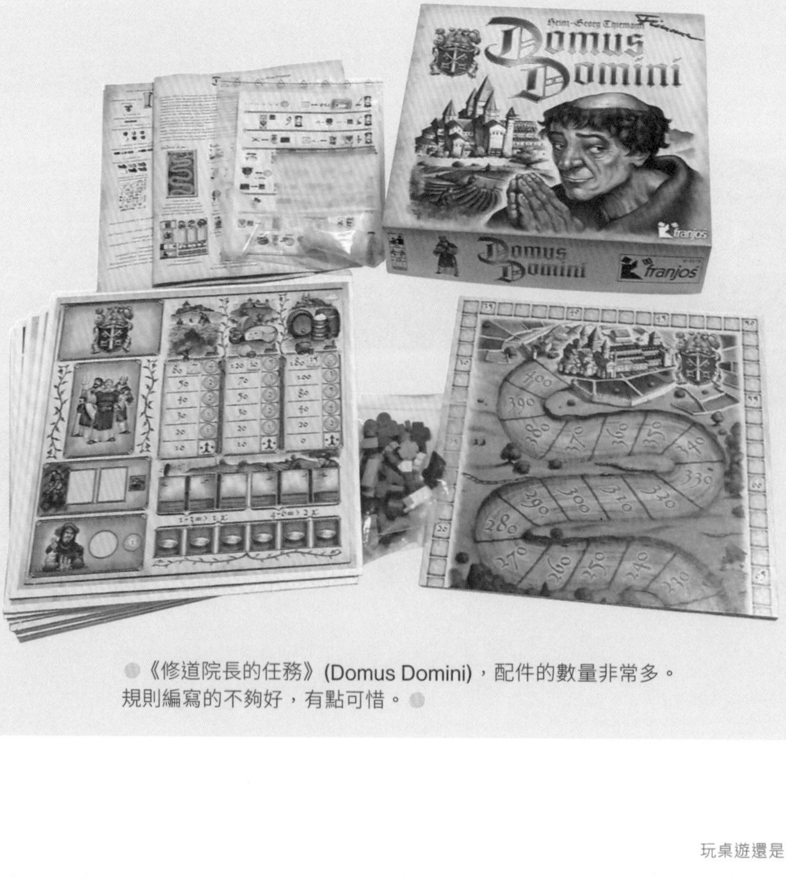

《修道院長的任務》(Domus Domini)，配件的數量非常多。規則編寫的不夠好，有點可惜。

《抽鬼牌》(Schwarzer Peter)，德文直譯稱作黑彼得，意指擦煙囪的彼得，遊戲中有把麻煩的事、不受歡迎的問題推給別人的意思。這是類似《鐵支》(Quartett) 的同族遊戲。

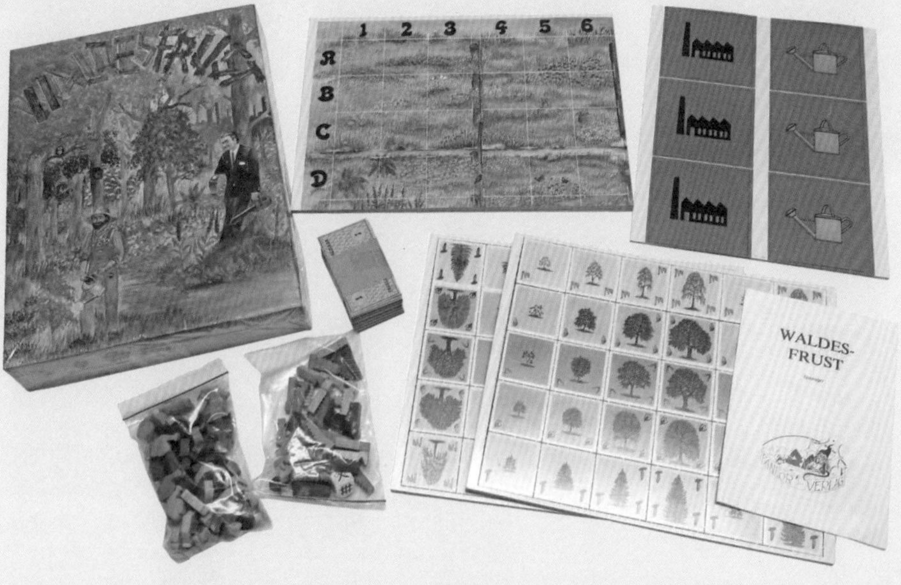

Waldesfrust，1992 年出版，評價很可怕，會收藏全都是因為美術。封面敘述的其實是個很獵奇的故事。

法蘭克福假期，計畫一個桌遊野餐日

遠望法蘭克福大教堂…。

法蘭克福，對許多到歐洲的人來說可能只是個交通上的轉運點，對我來說也是如此。造訪德國這麼多次，從來沒有花時間在這裡停留，這次託奕維的福，可以短暫的遊覽一下法蘭克福的風光。法蘭克福於二戰時期遭受戰爭之火的摧殘，這裡多數的老建築都是重新修復的，例如火車總站、法蘭克福大教堂，以及羅馬廣場等，其它無法修復的，全都成了全新的建築和摩天大樓。我很驚訝這裡找不到任何一間可以去的桌遊店，奕維也說住在這裡一陣子了，沒聽過哪裡有桌遊店。

其實這和我對法蘭克福的概略印象相符，甚至覺得這裡大概每棟建築物都是銀行吧。實際上，這裡不僅有歐洲中央銀行和德國聯邦

從法蘭克福大教堂往外遠眺，美茵河就在教堂前方。

看到這個標誌就知道來到歐元塔了。

銀行，更是德國和歐盟的經濟中心，同時每年這裡有許多的博覽會舉行，還有為數眾多的博物館，藝文活動也不少，但是關於桌遊文化的發展似乎不太盛行。儘管時間短暫，頭一天還是當了稱職的觀光客，法蘭克福大教堂、法蘭克福鐵橋，以及羅馬廣場等地標一個也沒錯過。

仔細看街道上建築的各種符號和元素，如果運用在桌遊中，這些符號會分別代表什麼意思呢？

法蘭克福鐵橋是法蘭克福的地標，人潮非常多。

情人會在這裡栓上情人鎖。

法蘭克福鐵橋旁的羅馬廣場也聚集許多觀光客。

百貨公司旁的行動烤香腸小販吸引大眾的目光。

在來法蘭克福前就與奕維約好要在美茵河畔野餐，加上我嚷著一定要試試看能不能找點桌遊，於是我們決定看看百貨公司的玩具區。離晚上8點結束的綠醬節活動還有點時間，遂在百貨公司溜達，沒想到這裡居然真的有桌遊天堂，儘管販售的品項並不如專業的桌遊店，但是聊勝於無。你能在 Google Map 上找到的資訊，大概就是連鎖店 Games Workshop 以及 Intertoys，其實這兩個地方就能滿足大部分的玩家需求，也許這裡的人口結構與組成，並沒有太多專業玩家或團體，也或者我蒐集的資訊不夠多，所以沒有找到桌遊店。

無論如何，百貨公司裡的桌遊為了照顧多數客群，品項多屬於兒

●據說這裡有桌遊，讓我們進去瞧瞧。不只這家百貨公司，其它百貨公司也可以碰碰運氣。●

●桌遊區其實佔地很大！●

●桌遊區還有分成人遊戲區及兒童遊戲區。●

● Ravensburger Spieleverlag GmbH 在這裡設有專櫃。●

Karstadt Frankfurt Zeil

KARSTADT

地址 | Zeil 90, 60313 Frankfurt am Main
電話 | +4969929050
營業時間 | 週一到周六：10：00-20：00 (週日公休)
網站 | karstadt.de

●有在架上發現什麼有興趣的遊戲嗎？這裡販售的品項可以滿足一般大眾需求。●

店內挖寶趣！來看看我在這裡發現了什麼……

印象中百貨公司的商品都會比較貴，事實上剛好相反，這裡有許多大特價的遊戲，像這樣的小遊戲一盒只要 3 歐元！

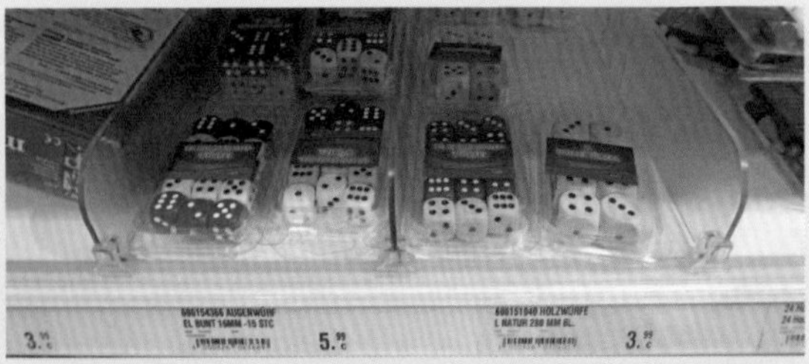

標準的骰子與棋子組合這裡可以取得。

《妙探尋兇》(Cluedo) 和《地產大亨》(Monopoly) 的能見度還是最高。

捷克國寶《鼴鼠的故事》有相當多的桌遊商品，捷克當地可以找到更多。

《怪獸古肥羅》的繪本在全世界受到歡迎，改編自此繪本的桌遊也相當多。

《斯卡特》這類的傳統紙牌絕對可以找到。

店內挖寶趣！來看看我在這裡發現了什麼……

儘管已經以超級便宜的 9.99 歐元出售，架上還是擺著一堆《無盡長河》(Der unendliche Fluss)。

像這類連 BGG 上都沒有登錄的遊戲《維京人之戰》(Kampf der Wikinger) 非常多，也就是說世界上的桌遊還有更多我們沒有資料但實際存在的。

同樣是當時台灣還沒有販售的 2016 年版《動物拍賣大會桌遊版》(Kuhhandel: Das Brettspiel)。2017 年版的封面和標題都已經改過。

《競逐黃金國》才剛推出，架上也只剩下最後一盒！

童、家庭，以及輕策略遊戲，而且大部分也都是德國自己的品牌，例如 KOSMOS、Ravensburger Spieleverlag GmbH，以及 Schmidt Spiele 等。架上呈列的品項非常新，你想要找過去兩年發行的遊戲還比較難，甚至五月 (2017) 才剛有玩家在討論的《競逐黃金國》(Wettlauf nach El Dorado) 這裡已經可以買到，也是架上販售狀況最好的一個。二話不說我也拿了一盒，作為這次桌遊野餐日的主打遊戲。除了想買的《競逐黃金國》，許多 BGG 玩家正在討論的熱門遊戲，只要是落入兒童、家庭遊戲類別的品項，這裡都不難找，其它像國民紙牌遊戲《斯卡特》(Skat) 這類的「吃墩遊戲」(Trick-taking) 也一定會有。即使是百貨公司的玩具區，對桌遊玩家也是非常好逛的地方，一不注意忘了時間是很正常的事，我們只能碰碰運氣看綠醬節現場還有沒有食物可以買來吃，幸好到的時候還有一些店開著，我們在迅速享用餐點後回到超市，買了一些桌遊野餐日所需的食材。

綠星人的補充說明時間

這次造訪的時間恰巧碰上法蘭克福的傳統節慶—綠醬節 (Grüne Soße-Festival)。根據當地傳統，耶穌受難節的前一天就要開始享用綠醬，直到秋天的第一場霜降為止，法蘭克福人的餐桌上都會有綠醬食物可以吃，每年綠醬節舉辦的期間還會評選出最美味的綠醬，這樣的傳統已經有一百年以上了。綠醬是由七種植物打漿製成，多半搭配雞蛋和馬鈴薯一同享用，是一道非常道地的食物。

綠醬實際吃起來……。搭配雞蛋與馬鈴薯是最經典的吃法。

綠醬節在每年大約五月初時舉辦。

一直很喜歡旅程中的料理時間，和朋友分享食物，無論是大顯身手或是單純等著吃，總是為緊湊的行程帶來片刻的喘息。麵燙好撈起備用，大火拌炒過的甜椒、火腿，以及洋菇，加上黑胡椒雞肉條以及一顆荷包蛋，最後淋上台灣帶來的龍口芝麻醬，整個早餐已經豐盛過頭，同時野餐所需的食物也已經盒裝打包好。外面是舒服到不行的好天氣，有太陽相挺，原本就決定好的美茵河畔桌遊野餐日順利按照計劃前行。野餐前決定先到美茵河畔旁的美術館看看這檔有什麼新展覽，完全意料之外，這檔的野餐展令我們驚呼連連，彷彿一切都是刻意的安排。展中詳細爬梳各國野餐的歷史，佐以豐富的文物與文件，對於各國的人、古人，以及現代人，野餐時究竟除了食物還做了什麼事，進行各種面向的記錄與討論，真的非常好看。這樣的展覽主題企劃還真沒有在哪看過，覺得新奇有趣，而且相當符合我們今天的桌遊野餐日。

這是今天特別準備的野餐食物。

天氣好得不得了；出門忘了帶桌遊還折回家拿。

●美術館的野餐展太符合今天的行程。展中可以看到各種野餐的用具以及相關文化的詳實記錄。●

●美術館旁的草地上就有人在野餐，準備的多屬於大型的戶外遊戲。●

邊享用自己準備的食物一邊玩《競逐黃金國》！

美茵河畔的草地已經散落著一撮一撮的人，每片草皮都受到熱烈歡迎。尋覓我們的地盤前，環視了一周，看看大家在草皮上都做些什麼樣的活動，有人打起盹來任憑陽光親吻，有人三五好友成群打起撲克牌，當然更多是悠閒吃著家裡帶來的食物，輕鬆閒聊的人們，下午的美茵河畔涼風徐徐，一切都是這麼的怡然舒適。白色遊船來回穿梭，不知已經多少個觀光客經過，我們則在鋪好的黑布上享用自己準備的餐點，然後開啟一場午後的桌遊對決；打開昨天在百貨公司買的遊戲，我們是認真的開玩。《競逐黃金國》是數學博士Reiner Knizia嘗試「牌庫構築」(Deck / Pool Building)機制的作品，含有競速的元素，因此玩起來相當緊湊刺激。一旁的路人有的駐足，有的飄然走過去但是目光還是停在我們的遊戲上，旁邊的小團體好奇詢問這是什

由於遊戲的配件很大，吸引一些人前來了解我們在做什麼活動。

麼樣的遊戲，然後不時的回頭觀察我們的進度；頓時，只有撲克牌的草地野餐相形失色。整體而言，午後的桌遊野餐日相當吸睛，而我們也相當享受這樣的戶外桌遊時光，然而時間總是比想像中過得快，我因為行程安排而需要準時離開，只能期待著下一次可能的桌遊野餐日很快到來。

下次一定還要再規劃美茵河畔旁的桌遊野餐。

Netherlands

EST. 2012
Boardgame Record

讓我們從桌遊店帶一份荷蘭地圖走

●來阿姆斯特丹的第一站通常都會是阿姆斯特丹中央車站。●

說到荷蘭的桌遊，你一定會想到 999 Games 這個品牌，那小丑玩骰子的商標令人印象深刻。它是荷蘭最大的桌遊品牌，代理許多遊戲的荷文版，而且部分產品都會有自己的特殊包裝、特別版本。在出發到阿姆斯特丹前，於 Google Map 尋找了 999 Games 的所在地，它的總公司位在同屬阿姆斯特丹都會圈的阿米爾，不過離阿姆斯特丹市中心還是有一定的距離。從 Google Map 提供的照片來看，看起來像是工廠，而且沒有直營門市的身影，因此在時間不足的考量下果斷放棄這個點，也許哪天可以到這裡進行正式的拜訪。

同樣透過 Google Map 先搜尋桌遊店的資訊，除了來自英國，歐洲各城市都能見到的 Games Workshop 以外，離阿姆斯特丹市中心較近的 The Gamekeeper 是我的首要目標。從阿姆斯特丹中央車站走出來，看著地圖沿著運河行走，一路上風景與建築美不勝收，你立刻就能在街道上感受到荷蘭自由開放的氣氛，你會在政府的廣告文宣上看到紅燈區、在各個觀光商店買到各種大麻與其製品，更能看到許多商店象徵對同志友善的彩虹旗，就是這樣一個無拘無束的城市，瞬間你也覺得整個人放鬆起來。這裡有一些觀光客必定造訪的地點，諸如安妮之家、花市、梵谷博物館、阿姆斯特丹市立博物館，以及荷蘭國家博物館等，當然你也可以在博物館的禮品店中發現一些桌遊，尤其是那些比較偏視覺設計，遊戲性可能沒有那麼好的遊戲，可以把它們看成是精品或是禮品，在桌遊店並不一定會販售。

●你可以在這裡的各種商店發現許多大麻的食物製品，因為吸食大麻在荷蘭是合法的。●

●受到當地居民及觀光客歡迎的花市，販售各種鬱金香和種子。●

荷蘭國家博物館

地址 | Museumstraat 1, 1071 XX Amsterdam
電話 | +31206747000
營業時間 | 週一至週日：09:00-17:00
網站 | rijksmuseum.nl

●米菲兔是荷蘭插畫家迪克•布魯納聞名全球的卡通人物。迪克・布魯納逝世於 2017 年 2 月，因此可以在桌遊店以及各博物館看到各種米菲兔的商品，桌遊當然也不例外了。●

●博物館中販售的桌遊多半為益智類。●

●字體也成為遊戲的一部分，喜歡研究字體設計的朋友應該會有興趣來一套！●

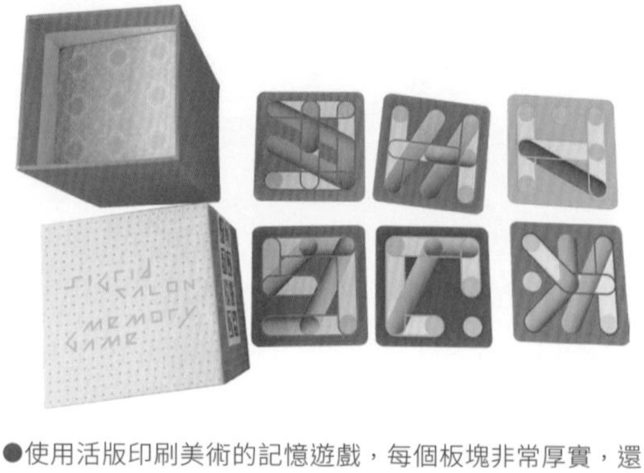

●使用活版印刷美術的記憶遊戲，每個板塊非常厚實，還能當作漂亮的杯墊使用 (桌遊玩家應該不會這麼做吧)。●

梵谷博物館

地址	Museumplein 6, 1071 DJ Amsterdam
電話	+31205705200
營業時間	週日至週二、週四：09：00-17：00 週五：09：00-22：00 週六：09：00-21：00
網站	vangoghmuseum.nl

●你可以在各大博物館或是設計商店發現 Wild & Wolf 的 Ridley's House of Novelties 桌遊產品。圖為經典遊戲復刻的幾款遊戲。●

想知道更多？ 什麼是 Ridley's House of Novelties？

Ridley's House of Novelties 是英國設計品牌 Wild & Wolf 的一支產品系列，受到復古產品啟發，推出復古玩具、桌遊，以及生活用品，或者有著復古包裝的創意商品，不仔細把商品拿起來把玩，可能還真的會以為是一盒早期的洗衣粉呢。Wild & Wolf 在台灣有許多商店販售它們的商品，但都只引進文具、生活用品，完全不見 Ridley's House of Novelties 系列，這也與桌遊在台灣普及度還不夠廣，以及設計感桌遊比較不引起玩家興趣有關。

Wild & Wolf

● Ridley's House of Novelties 系列的遊戲多有著復古插畫的包裝●

●經典遊戲復刻是 Ridley's House of Novelties 的其中一個產品系列。●

(圖片來源：出版社 Wild & Wolf)

● The Gamekeeper 是一家 1996 年開業的桌遊店，是阿姆斯特丹兩家歷史最久遠的桌遊店之一。●

漫步行走於特色建築與巷弄間，尋找 The Gamekeeper 的身影。很快地你就看到 The Gamekeeper 大門白色典雅的設計，並且注意到抱著鑰匙與寶箱的矮人旗子懸掛於店門前。這類非連鎖店的桌遊商家，多半有許多非常有特色的商品，我把它看成是一家店的「精選商品」，同時也象徵著店主經營這家店的獨特品味與吸引人光顧的特色之處。這裡不光是桌遊，各種你能想到和印刷製品相關的商品這裡都能找到，你甚至可以在這裡挑一張有荷蘭特色的小卡片，寄給你的桌遊好友。

這是一間裝潢樸實，裝著各種桌遊、玩具的商店，而且你可以感受到因為新的商品不斷推陳出新，店裡的架子已經無法再負荷更多

●店內分成兩個部分，販售的遊戲品項和種類繁多。●

遊戲，新舊桌遊交疊放置，也許是按照桌遊系列做分類的關係。店內空間分成兩個區域，前半多放置我們熟悉的桌遊商品，後半則為拼圖、傳統棋類，以及特殊商品。這裡販售許多別處不易找到的冷門桌遊，價格也合理，是個適合尋寶的地方。

The Gamekeeper

地址｜Hartenstraat 14, 1016 CB Amsterdam

電話｜+31206381579

營業時間｜週六至週一:10：00-18：00
週二、週三及週五：10：00-18：30
週四：10：00-20：30

網站｜gamekeeper.nl

MUNCHKIN

BICYCLE
PLAYING CARDS
ZOMBIE
kwatro
AMSTERDAM
€ 6,95
OPEN HARTIG
€ 11,95
€ 2,95
€ 1,50
€ 0,95
TOP 2000
QUIZ
EXPERT EDITIE
STREET STYLE MEMORY GAME

Domino Mexican Train
HOT GAMES
Massief blank hout, met zwarte knikkers.
Massives Holz natur mit schwarzen Murmeln.
Solid natural wood, with black marbles.
En bois solide naturel avec billes noir.
DOMINODUBBEL9
DOMINODUBBEL6
DOUBLE
COLOR DOT
D·O·M·I·N·O·E·S
HOUTENSOLITAIR
NUMBERS GAME

●許多名不見經傳的冷門桌遊或者只有荷蘭才能買到的桌遊，你都能在這裡發現。●

●《麻將》(Mahjong) 在這裡也很受歡迎呢。●

●集換式卡片的玩家也能在這裡掏寶個過癮。●

●各種週邊與桌遊用具一應俱全。●

走往櫃檯，老闆是個性格爽朗的人，相當好聊。每家店我幾乎都會問的問題，就是這裡最後歡迎的遊戲是什麼。因應不同的文化型態、人口組成、地理位置，以及歷史因素，每個國家、每個地區受到歡迎的遊戲皆不同，這裡指的是常態熱銷的商品，不是當年度或短時間流行的遊戲。受到國際桌遊展以及論壇評價的風氣影響，熱門桌遊多半也是店家進貨的考量，不過在The Gamekeeper你不會覺得架上有太多當季或當年度受到歡迎的遊戲，反倒是都主打受到當地人歡迎的遊戲。老闆說《鐵道任務》(Ticket to Ride)以及《卡坦島》(Catan)在這裡最受歡迎，你果然能夠在架上發現這兩個作品佔了相當大的位置，尤其以《鐵道任務》來說，荷蘭擴充的地圖更成為了當地特色商品般的存在，彷佛遊客來到荷蘭就必須帶走一份荷蘭地圖那樣重要。

店內挖寶趣！來看看我在這裡發現了什麼……

●店內販售各種與遊戲有關的明信片，不妨挑個幾張寄給朋友吧。●

●豬豬骰除了火柴盒版，居然也有布袋版的包裝。●

●經典遊戲的圓鐵盒系列由 999 Games 出版，隨身好攜帶的包裝受到旅客歡迎。這系列目前只能在荷蘭買到。●

● SMART GAMES 的出版品擺出來就是這麼可愛。●

●如果你喜歡合作遊戲，對於手繪風格的作品又很喜愛，來荷蘭不要錯過 Sunny Games 出版的遊戲。●

●更多的米菲兔桌遊可以在這裡發現。●

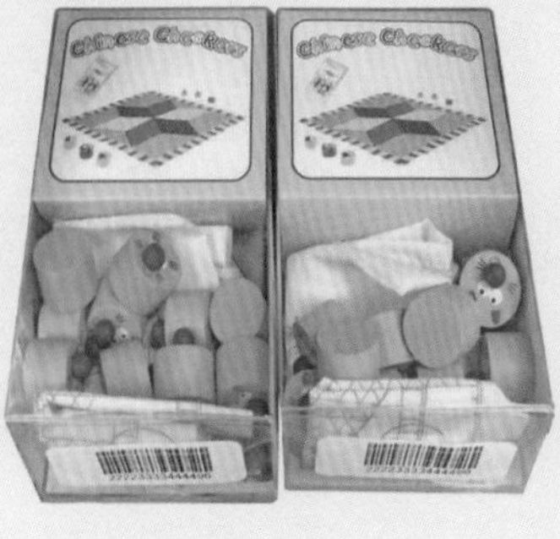

●不同版本的《跳棋》(Chinese Checkers) 對收集各種版本傳統遊戲的玩家來說將會是種有趣的收藏。●

想 知 道 更 多 ?

什麼是 Sunny Games ?

Sunny Games 是荷蘭一家成立於 2004 年，專門出版合作遊戲的出版社，它們發現有越來越多的人喜歡團隊合作勝過彼此針鋒相對，並認為合作遊戲可以凝聚向心力，訓練溝通與協調能力。早期他們引進同樣以出版合作遊戲為主的加拿大出版社 Family Pastimes 的作品，後來自己開發越來越多的合作遊戲，2016 是它們第一次參與埃森展，並推出相較以往產品策略性更高的《尼西羅斯島》(Nisyros)。

●《尼西羅斯島》(Nisyros) 是一款要幫助居民造船逃出火山島的合作遊戲。●

(圖片來源：出版社 Sunny Games)

店內大部分的遊戲多由999 Games出版，不過你還是能發現其它獨立出版社的產品，因此你大概知道來這裡要帶走什麼遊戲了，沒錯，那些荷蘭獨立品牌才有的產品，就是這次需要下手的目標。無論評價高低、遊戲有不有趣，以及好不好玩，帶個幾盒當地才有的桌遊當作紀念品也好，請毫不猶豫的帶走喜歡的吧！在這裡我挖掘到的是Sunny Games這個品牌，這是一家成立於二〇〇四年，只出版「合作遊戲」(Co-operative Play)的出版社，因為它們認為相較競爭類型的遊戲，合作遊戲更能把玩家集結在一起，而且沒有年齡的限制，比如大人與小朋友同樂的時候，你就不會有「我是否該讓小朋友？」的問題出現，因為大夥一起獲勝或是一起輸掉遊戲，相較現今各種合作遊戲的衍伸，Sunny Games的產品多為典型的合作遊戲，而且難度不高。Sunny Games 的每款桌遊都有特別的手繪美術，因此相當合我口味，要不是行囊大小有限，恨不得把店裡所有該出版社的產品都帶走。巧合的是，今年 (2016) 的埃森展上也有 Sunny Games 的攤位，同時也是它們第一次參與埃森展。

桌遊店櫃檯前的小遊戲區也是我喜歡尋寶的地方，你總會在這裡發現有趣的迷你桌遊。《情書》(Love Letter) 的鐵盒攜帶版是立刻引起我注意的商品，小鐵盒看起來很像喉糖包裝，小巧可愛，二話不說立刻帶了幾盒，當作送人的小禮物也很合適。也許是今天買的量夠大，老闆拿起櫃檯前的《迷你形色牌》(IOTA)，爽朗的說：「這就送你吧！」，我有點受寵若驚的收下，也許是看到一個亞洲面孔特地跑來這裡找荷蘭的桌遊，覺得特別而想要招待一下。我喜歡這裡的每個角落，雖沒有突出的裝潢，但是能夠滿足發現新桌遊的驚喜。在前往荷蘭下一個城市的途中，我丟失了拍滿 The Gamekeeper 的記憶卡，當時真的相當失落，不過也許這也表示，有天我必定得再回來這裡。

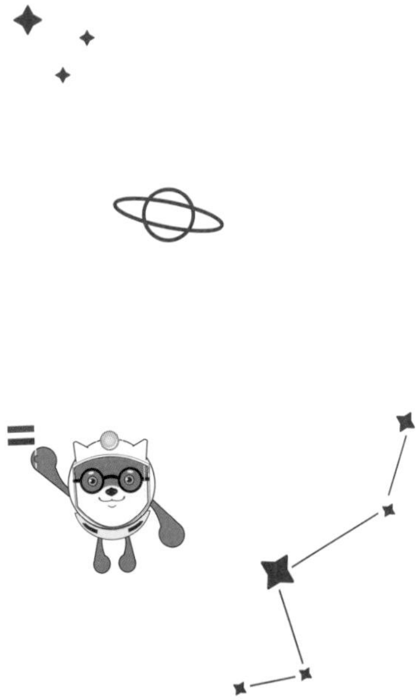

後記：隔年 5 月 (2017)，我真的又回到 The Gamekeeper」。時間過得很快，店內一切依舊，彷彿昨天才剛造訪；這次發現角落多了許多新遊戲，有些遊戲則已經被取代。老闆不在，值班的店員我也不認識，不過還是試著和他打個招呼，說明自己去年也有造訪，希望可以重新記錄一次店內的狀況；也許有點幸運，那些遺失的記憶全都找回來，好似一切都沒有改變，下一次有機會再回到 The Gamekeeper，它又會是什麼樣子呢？

又被桌遊玩—戰利品開箱時間！

●來阿姆斯特丹怎麼能不帶走《阿姆斯特丹旅店》(Hotel Amsterdam) 呢？●

●無法帶走太多 Sunny Games 的遊戲，挑了圖中 4 款收藏。●

●《蟲蟲燒烤派對》(Pickomino) 圓鐵盒。●

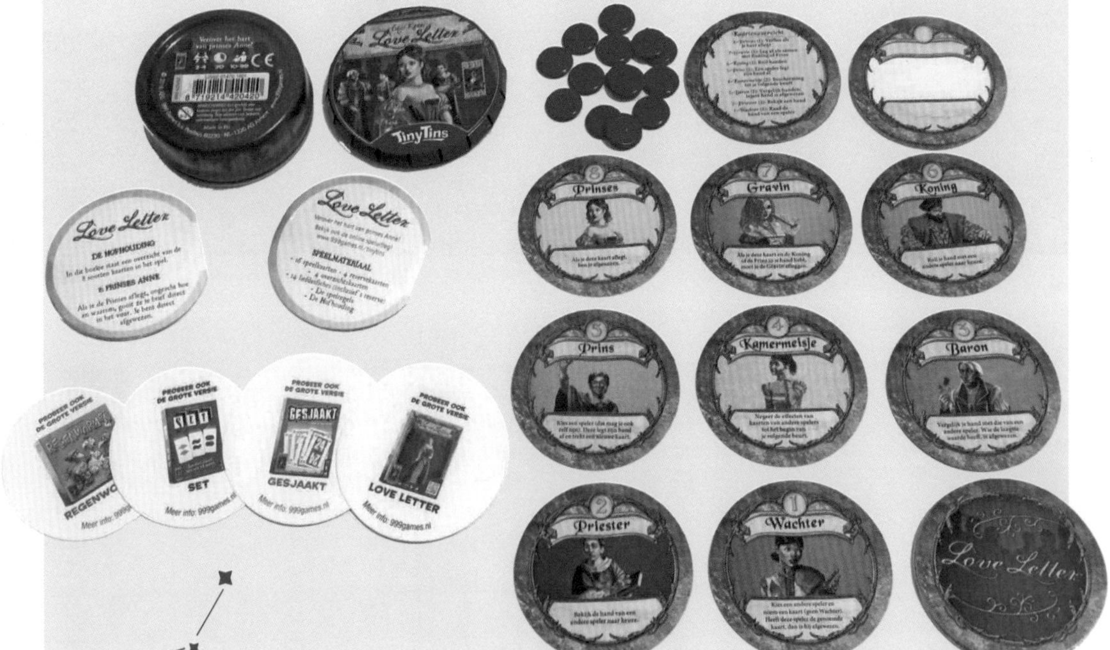

●《情書》(Love Letter) 圓鐵盒是這系列銷售最好的一款。●

驚喜展開——阿姆斯特丹桌遊地圖

●不同時刻的運河風景各有風情。●

遠方突然傳來吆喝聲以及聲響很大的電子音樂，船上一群男女熱情的扭腰擺臀，其中幾位看見我正在拍他們，馬上對我比了一個「Rock」的手勢，然後整艘船就迅速鑽進路橋下，從另一頭出來。陸續又來了好幾艘，你都能看見船上有幾個人總是特別賣力的划，就像是龍舟競賽一樣，但是河道狹小，似乎也沒有可以追趕的空間。這些運河於17世紀—荷蘭的黃金時代所開鑿，三條主要運河：紳士運河、王子運河，以及皇帝運河，圍繞著中央廣場形成同心圓，周邊延伸更多的支流，支流旁有許多古建築；漫步運河邊，你可以見識荷蘭巔峰時期的軌跡。

2016年來的時候，第一站就是前往荷蘭國家博物館看林布蘭的《夜巡》，他不僅是黃金時代最重要的畫家，也是我最喜歡的畫家之一。為了補足上回丟失記憶卡的照片，這次「過門而不入」，沿著靠近荷蘭國家博物館的運河，走到離市區有點遠的桌遊店—Friends & Foes Amsterdam。時刻更新Google Map是正確的，因為你不知道是否短時間內又有新的桌遊店冒出來，或者老牌的桌遊店已經收攤了，這次從地圖中發現Friends & Foes Amsterdam的確有些驚喜，因為印象中上回來真的沒有這一家。沿路上你會看到很多不是桌遊店但是也有賣桌遊的店家，因此時間充足的話，用雙腳取代地鐵，你會看到更多不一樣的風景。

●戶外運動用品店也有販售桌遊？●

Friends & Foes Amsterdam

地址｜Van Woustraat 202A, 1073 NA Amsterdam
電話｜+31629112371
營業時間｜週二、週四及週五：13:00-22:00
週六、週日：13:00-18:00
週三：13:00-19:00（週一公休）
網站｜friendsfoes.nl

●有些店家販售荷蘭的紀念幣，如果有特定主題遊戲會用的話，是個不錯的配件備品。●

比開店的時間還早抵達，再回來時，櫥窗的布幔已經拉起，Steffan則已經在櫃檯準備。Steffan見到我馬上問我從哪裡來，還指著架上的台灣遊戲說：「這些你應該都知道吧，我們很喜歡玩耶！」我點點頭表示：「太好了，很開心你喜歡。」，就這樣，接下來有兩個小時的時間，我們的話匣子沒有停下來，因為Steffan相當熱情，他很驚訝我從那麼遠的台灣跑來這裡，因為他說台灣對他來說就是個非常遙遠的國度。好客的Steffan Ros本身是個設計師，他有自己的出版社Odynaut Games，並出版有Cavemen Playing With Fire、Chipleader，以及Rule the Roost共三款遊戲；期間他與高采烈的展示他的三款遊戲，並表示銷售的還不錯，希望我有機會一定要試一下。

●雖然店名寫著遊戲，這樣的商店多販售電子遊戲而非桌遊。●

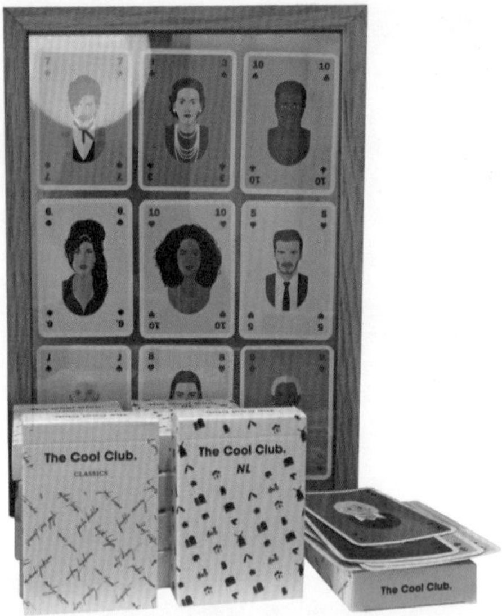

●設計商店也會販售一些特別圖案的撲克牌或桌遊。●

●無論配色或是裝潢都給人舒服的感受。●

●店內空間很大，販售的遊戲以及租借的遊戲相當多。●

●店內空間很大，販售的遊戲以及租借的遊戲相當多。●

●當天正好 Steffan 的朋友也在，下午時段比較冷門，沒有其他來客。●

●相當感謝 Steffan 招待的暖心茶。●

● Steffan 設計的三款遊戲：Cavemen Playing With Fire、Chipleader，以及 Rule the Roost。●

● Steffan 表示，當時店內最受歡迎的遊戲分別是《時空探案》(T.I.M.E Stories) 及《街骰》(Machi Koro) ●

店內挖寶趣！來看看我在這裡發現了什麼……

●評價不錯的《房間大脫逃》(Escape Room: The Game) 以及當時已經有的 4 個擴充，讓你一次收齊。●

● Steffan Ros 的三款遊戲就擺在這裡，自己的店當然也要推一下。●

「還有到哪裡嗎？附近的景點啊、桌遊店什麼的？」他一邊說一邊把泡好的茶端給我，還拆了一包餅乾放在碗碟上，同時還接了一通客人的電話。「有！其實我去年就有來過一次，一些知名的景點大致都晃了一圈，不過這家店……那時候沒有看到，這裡應該是新開的吧？」我啜了一口茶接著說：「對了，我之前有去 The Gamekeeper，還蠻有趣的，整個阿姆斯特丹大概就只有這裡和 The Gamekeeper 兩家桌遊店對吧？」拋出一連串的疑問，Steffan 相當有耐心的解釋著：

「是啊，我們才開幾個月而已，不過 The Gamekeeper 已經是 20 幾年的老店了，Schaak- En Gowinkel Het Paard 更是有 30 年的歷史呢……」「Schaak- En Gowinkel Het Paard？哇，這家我倒是不知道。」，就像是 RPG 遊戲

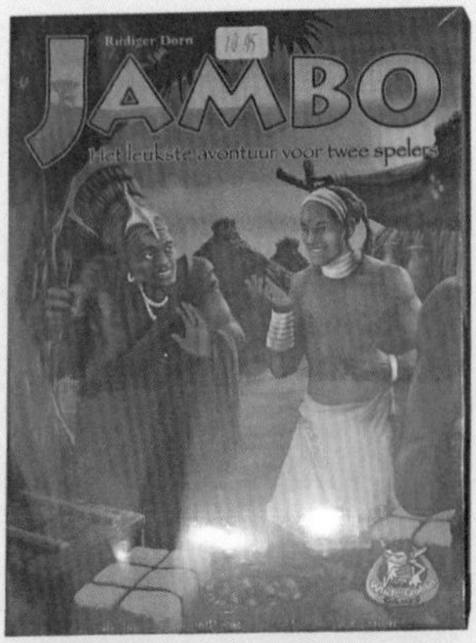

●各種奇奇怪怪的冷門桌遊也是很多。●

●是絕版已久的《醬爆市場》(Jumbo)！●

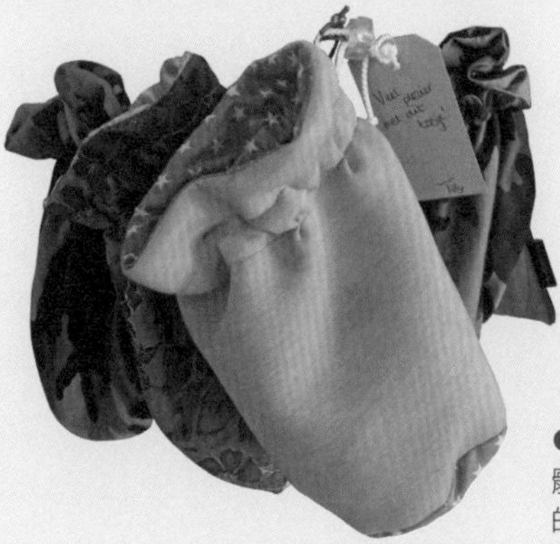

●附近玩家寄售的骰袋，完全為玩家的大手打造。●

裡和 NPC 聊一聊就能接獲新任務一樣，當下立刻把這家店排入我的行程中。我這麼回應他：「待會我就去晃晃。」然後做一些店裡的記錄。「當然，搞不好會有更多驚喜喔。」Steffan 興奮的說著，好像他也要去一樣。

此行我帶著我剛發行不久的出版品《萬貓的慶典》，聊著聊著就和 Steffan 說到自己本來要拜訪 999 Games，看它們有沒有興趣發行這款遊戲的荷文版。「他兒子有時候會來的說。」Steffan 聽完立刻這麼對我說：「大概是送貨的時候吧，不過也是久久來一次，你知道它們是個家族企業，爸爸很忙，通常都是兒子過來。不過你這遊戲非常可愛，我們家也有養貓，我太太大概也會想試試這遊戲吧，她愛死貓了。」不知怎的突然聊起貓咪的話題，我表示可以留下一盒讓他在店裡展示，他馬上表示說做個交換。「這個送你，是我設計的遊戲，很好玩喔，對了，我不保證999 Games什麼時候會來，不過它們有來我一定會讓它們瞧瞧的！」從他手上接過Rule the Roost後不知不覺又聊了一下，看了看手機發覺時間緊緊，向他表示準備離去，他還熱情的說：「英國遊戲博覽會上玩得愉快，下次一定要再來阿姆斯特丹！」「當然！也許很快就會回來。」我開心的回答，Steffan的好客讓我覺得很暖心。

☀

走出Friends & Foes Amsterdam查了查才發現，Schaak- En Go-winkel Het Paard居然遠在中央車站附近，走回去大概也要花個半小時以上，我想這次阿姆斯特丹桌遊地圖可以說是展開的非常徹底了。Schaak- En Go-winkel Het Paard全名直譯的話是：「西洋棋與圍棋之馬的桌遊店」，不過這裡的馬當然指的是《西洋棋》裡的騎士，但是這店名實在太有趣，所以我一直在心裡叫它「馬的桌遊店」。按圖索驥，一路上用散步的步伐，經過市集還停下來晃晃，不過我著實走了將近半個小時才到馬的桌遊店。

☀

看到馬的招牌、店的外觀，以及和我打招呼的年輕店員，很難想像這是一家開業30年的桌遊店。不過從這裡販售的品項可以察覺到的確有許多專業的棋具與書籍。雖然是家老店，品項也還是有跟上最新的腳步，我待的期間，不時也有許多顧客進來店裡購買新遊戲。店員似乎相當忙碌，和我打個招呼後就示意我自己隨意逛，因此沒有機會和他多聊。

●宛如桌上遊戲迷你交換大會！●

●乾淨、舒服的店面，歡迎來到「馬的桌遊店」。●

═Schaak- En Go-winkel Het Paard═

地址	Haarlemmerdijk 173, 1013 KH Amsterdam
電話	+31 20 624 1171
營業時間	週二、週三及週五、週六：10：00-18：00 週四：10：00-20：00 週一：13：00-18：00 （週日公休）
網站	schaakengo.nl

●櫥窗裡的佈置用的全是 Rifugio 的遊戲配件。●

店內挖寶趣！來看看我在這裡發現了什麼……

●慶祝 25 週年的《德國心臟病》(Halli Galli) 派對版。●

●這裡當然也有販售 Steffan 的作品囉。●

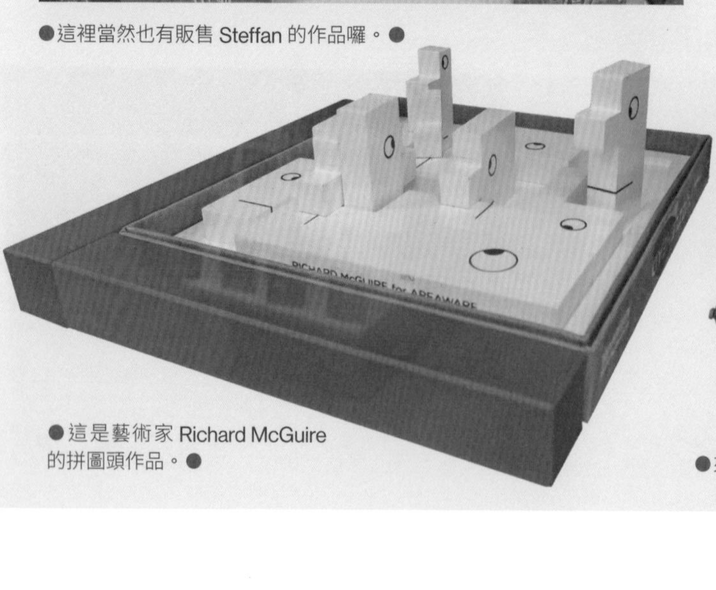

●這是藝術家 Richard McGuire 的拼圖頭作品。●

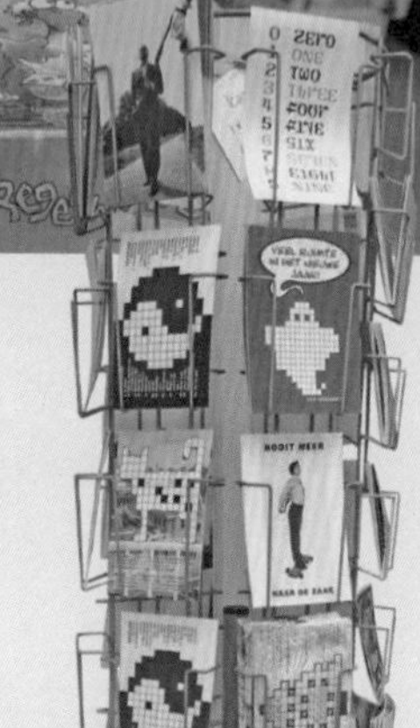

●來挑張有趣的遊戲明信片。●

● 《橋牌》、《西洋棋》等傳統遊戲的工具書這裡非常多。●

● DE MOL 是荷蘭相當知名且歷史悠久的實境生存節目 (1998 開播至今)，因為受到廣大的歡迎，2014 首度推出桌遊版。同樣由總部位於希爾弗瑟姆的出版社 Just Games 出版的《魯賓遜探險》(Expeditie Robinson)，也是荷蘭才買得到。●

● Stefan Feld 的絕版遊戲《玫瑰的名字》發現！●

●可隨身攜帶的鐵盒小遊戲還有更多。●

店內挖寶趣！來看看我在這裡發現了什麼……

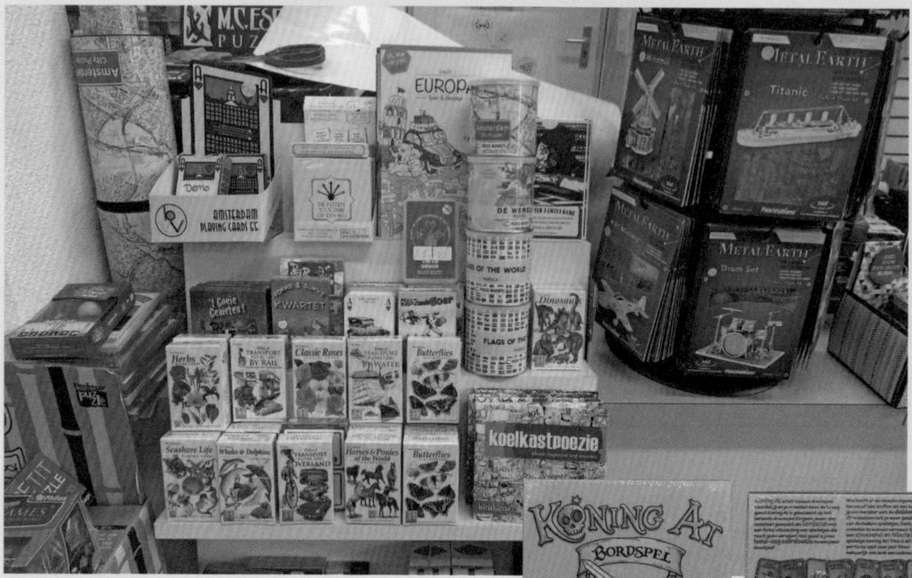

●各種各樣的商品等著你來挖寶。●

●只在荷蘭才能找到的桌遊品項。●

「那個……可以問你一個問題嗎？」我打斷他手邊的工作，舉起一盒 Rifugio 到耳邊：「你知道這是什麼遊戲嗎？」我實在是對 Rifugio 太好奇了，因為總是在荷蘭的桌遊店見到它，甚至有些非桌遊專門店也有它的身影。

「你們店的櫥窗甚至還有用這遊戲的配件做裝潢呢。」「喔！這個呀。」他總算走來我面前：「是啊，這個布置花了我們很多時間做呢，已經放在那裡好幾年了。你喜歡《卡卡頌》(Carcassonne)嗎？對，就是類似那樣的遊戲，你可以放板塊，或是放你的小米寶移動它，然後比誰在過程中獲得最多分數獲勝。不過有些板塊有一些效果，比如碰到熊會扣3分，走到其他玩家的格子……」不忍打斷他，不過他介紹得很仔細也很用心，當下我就決定買一盒，也許把它看成是「荷蘭版《卡

綠星人的補充說明時間

Rifugio 於 2012 年由 Niels Pieterse 所設計，是一款「板塊拼放」、「成套收集」類型的遊戲，除了基本板還有 3 個擴充。遊戲以義大利的 Rifugio Dolomites 山為背景，玩家在遊戲中得盡可能造訪各種地點，收集卡片、蓋小屋以取得分數。
想了解更多可以到官網查看：http://www.rifugio.nl/

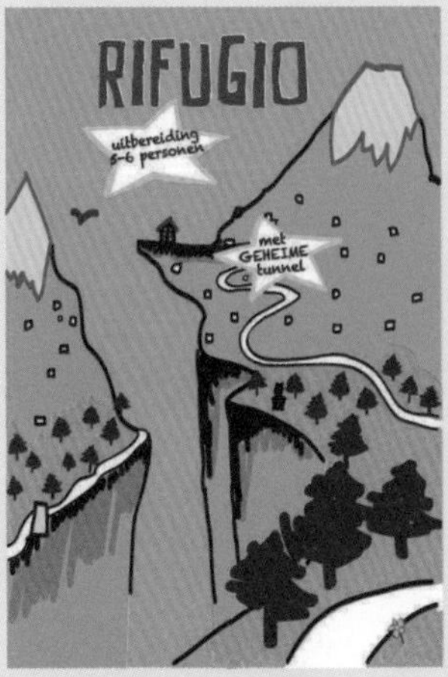

●基本版。●

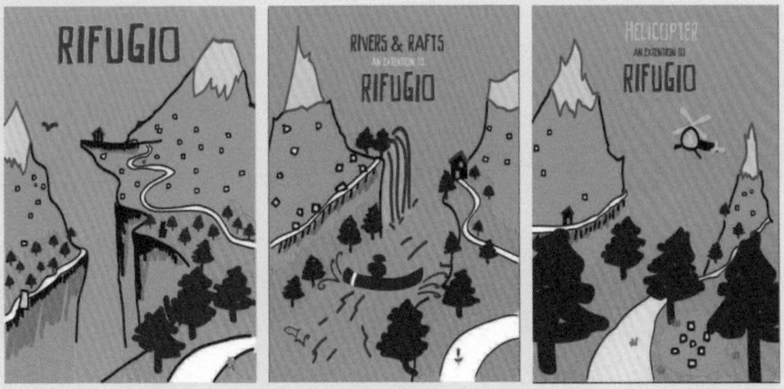

●三款擴充。●

(圖片來源：Niels Pieterse)

卡頌》」，大概就可以理解為什麼這款桌遊這裡這麼常見並受到當地店家推崇了吧。老實說這遊戲的美術，真的「很不一般」，以我的喜好來說，手繪感插畫是很能接受，但這個看起來像用小畫家亂塗的插畫會不會太鬧了一點（讚美的意味）；這會讓我想到同樣有童趣插畫，不可貌相的策略遊戲—《路與船》(Roads & Boats)，不過多數人可能會覺得是否就是一個兒童遊戲，重點是訂價也不便宜，的確讓人很疑惑是否應該購入。

上網查了一下相關資訊，再次對店員提問：「網站上顯示還有 3 個擴充，這裡也有賣嗎？想一併收齊。」

他突然面露難色的說：「這個擴

充啊，只能到他們的官網買，實體店面都只能買到基本版喔。」。這的確是個很微妙的作法，而且也真的是這樣沒有錯，想要更多擴充只開放給網路訂購。

只能說不愧是歷史悠久的桌遊店，裡面有很多市面上已經絕版的遊戲，不僅是台灣找不到，就連歐洲都不容易取得。隨意翻找，有盒遊戲亮閃閃的在一旁發光，一挖赫然發現是 Stefan Feld 的《玫瑰的名字》(The Name of the Rose)，立馬開心的帶著它和 Rifugio 結帳。「你們這裡居然還有《玫瑰的名字》啊，已經很難買到了。」店員開心的說：「你真的非常好運，我想應該真的就只剩我們這裡有了，重點是一樣賣你原價喔，很不錯吧。」

●遊戲已經多到擺不下！●

「簡直超棒的，我想你們這裡應該還有很多寶藏。」我回頭看了一下那面桌遊牆，並再環顧四周確認。「當然，這裡還有很多很棒的遊戲。呃，我幫你包一下吧。」店員拿出包裝紙表示：「就像是一個禮物一樣，送給你自己。」一時不懂他的用意，同時也還沒反應過來，只能點頭對他應好，然後看著他仔細的包了一陣子。抱著包好的「禮物」走出門外，準備前往下一站，腦中不斷閃過這天發生的一切這天的一切，就像是遙遠且艱難的任務完成，得到了應有的獎賞，我想這趟阿姆斯特丹之旅應該可以說是前所未有的令人滿足和興奮。

又被桌遊玩—戰利品開箱時間！

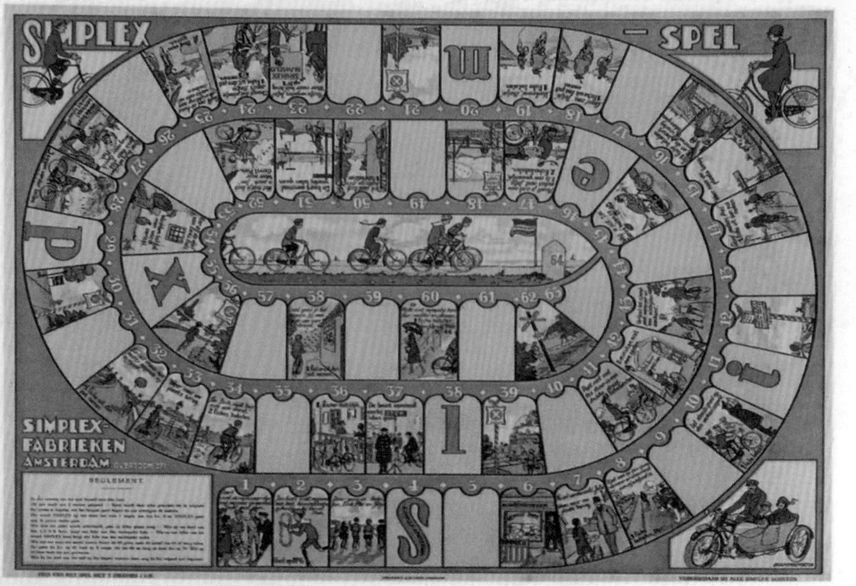

●印有老遊戲圖的明信片上面印有規則，自己準備配件就可以當隨身桌遊玩了。●

●整個被包裹起來的《玫瑰的名字》。●

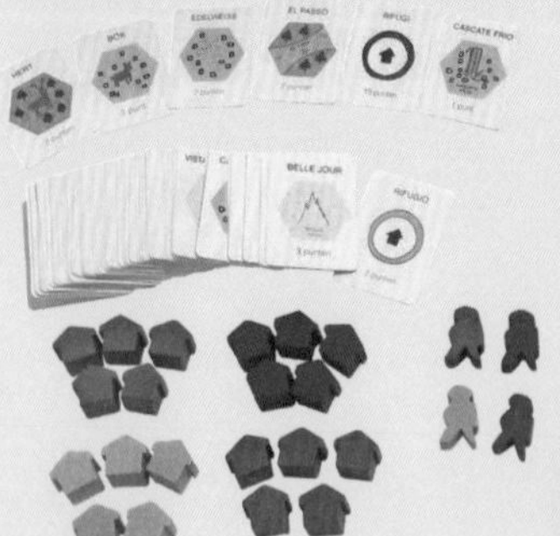

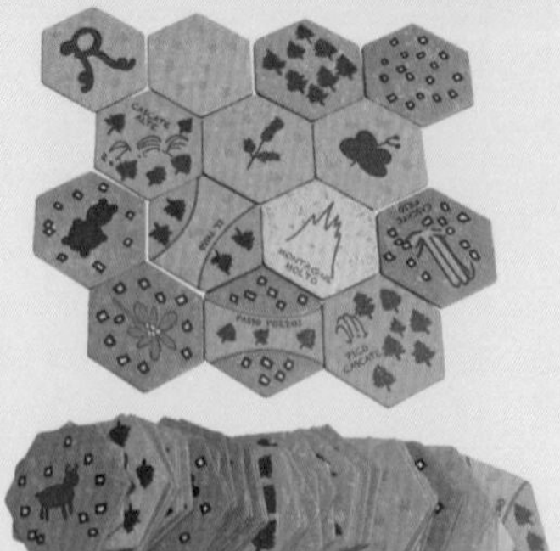

●可以看成是「荷蘭《卡卡頌》」的 Rifugio。●

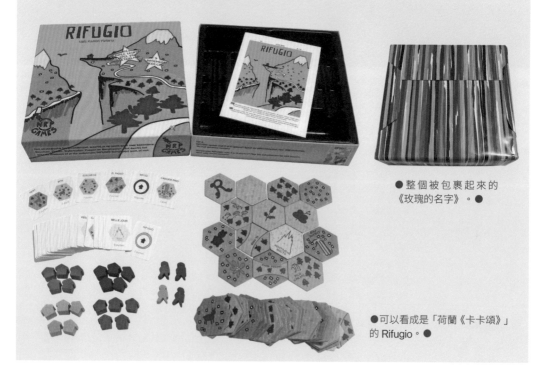

小市鎮也要玩桌遊，北方大學城參訪

●當時剛好舉辦遊樂園活動，臨時搭建的摩天輪可以看到整個格羅寧根小鎮。遠方是 Aa 教堂。●

搭乘列車近兩個小時的時間，來到荷蘭的北方小鎮格羅寧根，列車上我弄丟了我的記憶卡，心裡想的全是有關桌遊店的巡訪與見證全都消失，當下根本無法專心再往下個行程走。不過換了環境，心境也變了，一到格羅寧根，我就立刻開啟 Google Map，希望它會給我一些不錯的桌遊景點。不過即使沒有也沒關係，到了歐洲，基本上到書店、特定連鎖賣場都能看到桌遊的身影，雖然販售的品項並不多，但是可以滿足一般家庭與玩家的基本需求，對遊客來說，也能挖掘到一些具有當地特色的產品。

格羅寧根是荷蘭北部最多人口的城市，全市大學生佔人口比例相當高，可以看作是一個大學城。心想這裡的學生多，自己判斷其中玩桌遊的人應該也不少，殊不知這與桌

●格羅寧格博物館就在火車站旁，此外當地還有菸草博物館、漫畫博物館，以及科學博物館等展覽中心。●

遊店的分佈與數量並沒有絕對的關係。也許這裡的人口不足以支持一家桌遊店生存，不過你還是能發現Games Workshop這樣的連鎖店存在，但那不是我的目標。總是希望能挖掘有當地特色的桌遊店，連鎖店因為每家都相同，到哪個國家都一樣。可惜格羅寧根就是沒有獨特的桌遊店，這個下午就只好到玩具店、連鎖賣場逛逛了。

美麗的運河風景同樣能在這裡發現，而且一路上人車稀少，是個相當安靜舒服的地方。這麼一想，對啊，今天怎麼一點都不熱鬧，原來是禮拜天的關係，許多店家都不營業。果不其然，Games Workshop大門緊閉，僅能從窗外看看內部的裝潢擺設，以及靠近窗戶的模型展示。這裡是格羅寧根賣最多桌遊的地方，雖然以奇幻桌遊、戰棋、集換式卡片遊戲為主，但對人口相對主要城市沒那麼多的城鎮來說已經足夠。部分書局與設計商店也會販售零星的桌遊，尤其兒童用品專賣店一定也可以發現桌遊的身影，甚至部分餐廳、酒吧雖不像桌遊咖啡店那樣專業，普遍也都會提供基本

●附遊戲配件的遊戲書，裡面內含多款遊戲，規則及圖板直接印在書頁上，展開就可以玩，非常棒的設計。●

●書店的桌遊專區，書、桌遊本都是屬於平面出版品，所以可以在這裡發現許多桌遊。●

●《鐵支》(Kwartet)是荷蘭原創的卡片遊戲，玩法類似《釣魚遊戲》，受到當地玩家喜愛，圖案與卡片數量各家出版社有所不同。●

●這裡可以發現一些特別又有趣的桌遊商品。●

●隨意走進一家餐廳，也可以在角落發現桌遊。●

●沒有夥伴一起同行，只能把遊戲打開來看看便收回去。●

●兒童用品、童書專賣店販售許多桌遊。●

●當地猶太教堂可以看到猶太人普遍會玩的遊戲是什麼。●

● Games Workshop 連小小的大學城都有分店。●

● Intertoys 販售的桌遊多半有不錯的折扣。●

的桌遊供來客遊玩。

靠近Aa教堂的商店街道上，有兩家販售玩具的連鎖店，一家是「荷蘭的玩具反斗城」Intertoys，它們在歐洲部分國家也有據點，另一家則是Bart Smit。你會發現，這兩家的桌遊區雖然都是以兒童遊戲、家庭遊戲、輕策略遊戲為主，但是販售的品項還是有很大的差異，不知道是否是為了做出品牌特色以及市場區隔，在桌遊的選品上沒有太多重複。兩個共通點就是，一定有許多999 Games出版的遊戲、熱門主流的遊戲一定會有，像是《卡坦島》(Catan)。兩家比較之下，Intertoys比較多新商品，從架上的《機密代號》(Codenames)可以看出來，Bart Smit雖然沒有跟上時代的腳步，但還是有一些其它店家沒有賣的獨家商品，不過因為兩家很近，

●離 Intertoys 不遠的 Bart Smit 遊戲店販售電子遊戲、玩具，以及桌遊。●

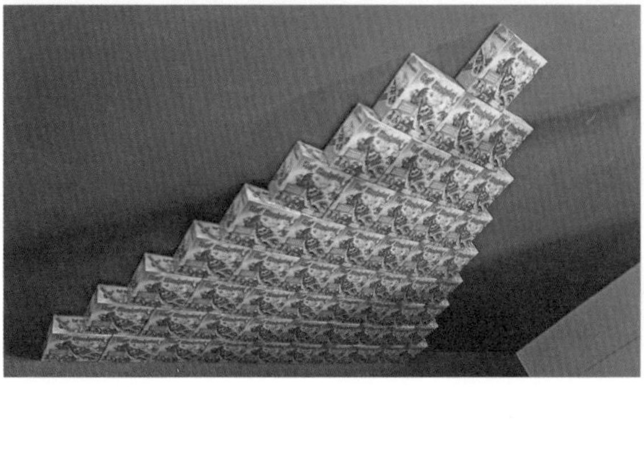

●從這個布置可以知道《翻滾路易》(Looping Louie) 有多受歡迎……●

●攝影師朋友的桌遊櫃●

●當晚馬上來一局《俄國鐵路》。●

時間夠的話都晃一下也無妨。

沒想到這麼快就結束今日的桌遊行程，沿路閉門的書店與個性商店裡可以隱約看到各種特別的桌遊，恨不得立刻衝進店內好好逛。回到攝影師朋友的家，正好一起為他的好朋友慶生，同時也展示了他收藏的桌遊給我看，有的甚至還放在藏寶箱裡。他說這裡《卡坦島》相當受歡迎，所以他也收了一盒特別版的《卡坦島》，他的這盒稱作 De Kolonisten van de Lage Landen，裡面有荷蘭與比利時地圖，是 999 Games 於 2009 年 9 月 9 日發行的特別版本，我想挑選這個日期出版就是出版社的幽默吧。此外他告訴我他非常喜歡《皇輿爭霸》(Dominion)，問他為什麼不收擴充，他說光基本版就玩不完，根本玩不到擴充！看到《皇輿爭霸》，我想到來格羅寧根的火車上，也有一對情侶在玩手機版的《皇輿爭霸》，看來「牌庫構築」類型的遊戲應該受到當地人相當程度的歡迎。飯後的休息時間，理所當然的要來玩桌遊，但是一時沒有什麼點子。之前攝影師朋友問我從特價清單上收什麼遊戲，我推薦他《大王》(El Grande) 和《俄國鐵路》(Russian Railroads)，這回一看，櫃子上果然已經擺好這兩款遊戲，所以當晚毫無意外的推薦他開《俄國鐵路》，而我們也都相當享受這

●用大寶箱收藏桌遊真的很幽默。●

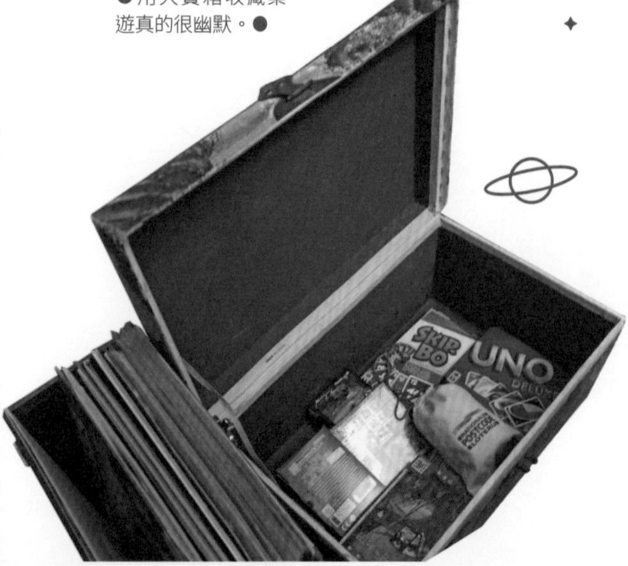

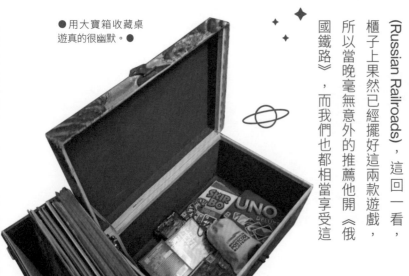

款遊戲帶來的樂趣。

不管是到咖啡店還是餐飲店，仔細觀察店家的櫃子上也許會有一些驚喜，你會發現桌遊在這裡是那麼平常的事物，那就是生活的一部分。即使是格羅寧根這樣的小城鎮也不例外，到了一家餐飲店，迅速掃過整家店就對了！比如攝影師朋友帶我去的一間酒吧裡就放有《戰國風雲》(Risk)，我還蠻驚訝這樣一個放鬆休閒的地方會有比較嚴肅主題的遊戲，也許每家店根據來客的族群不同，選品亦會有所不同。

累了一天，回到飯店用餐，留意一下可以看到餐桌本身就是一個棋盤：《西洋棋》、《雙陸棋》，用餐前可以直接在桌上玩。飯店的餐廳也提供簡單的幾款桌遊，像是常見的《酒店大亨》、《地產大亨》，以及《猜猜畫畫》(Pictionary)等。旁邊的客人當然也玩起自己帶的桌遊《夥伴》(Partners)，有人說這是簡化版的《狗狗棋》(DOG)，目標是要把自己的棋子從起點移到終點，而且只能往順時針方向移動，不過在這款遊戲中，手上數值1-14的卡片的特殊行動，以及團隊的設計是它與其它類似遊戲的不同之處。其實這類遊戲就是各種變體的《飛行棋》(以我們比較好理解的方式來比喻)，類似的遊戲還有受到家庭歡迎的Sorry!，看來歐美國家對於這種把自己棋子率先

●飯店的餐廳也提供一些桌遊供入住的旅客使用。●

●餐桌即是遊戲桌。●

●玩《夥伴》玩得不亦樂乎的旅客。●

移到終點的遊戲樂此不疲。

玩著《夥伴》的客人好奇的問我知道這款遊戲嗎？我的確不知道，看圖板我以為是類似《天生絕配》(Compatibility)的遊戲。他們要我也加入遊戲，不過從遊戲名稱我猜測，這應該需要兩人一組進行吧，於是婉拒了他們的邀請並祝他們玩得愉快。回到房間，腦中還是那桌客人玩著桌遊大笑的場景，一款桌遊把大家凝聚在一起，看著彼此真誠的笑容與互動，這樣一個簡單又快樂的夜晚，令人滿足，而我在荷蘭的旅行也就在這裡劃下句點。與此同時，聽朋友說烏特列支也有許多特別的桌遊店，這些都是驅動我規劃下一趟旅行的動力，我想為了能夠再遇到喜歡桌遊的人們，我很快就會回來的！

後記：同樣的在補完阿姆斯特丹的照片後，又回到格羅寧根，但這次不同的是發現了一家已經開業25年(至2017)的桌遊店。「咦？你上次沒有去嗎？」攝影師朋友這麼問。「沒有耶，上次也沒聽你提起。」我有點疑惑為什麼上次來格羅寧根沒有到Wirwar Spellen en Puzzels，尤其大學城其實並不大，我甚至懷疑我曾經過店門口多次但一直覺得不是桌遊店而沒有進去。無論如何，這次就是專程走一趟Wirwar Spellen en Puzzels。

● Wirwar Spellen en Puzzels 就在格羅寧根市中心的購物大街上。●

● Wirwar Spellen en Puzzels 對面的旅行用品店也可以發現一些桌遊。●

●旅行用品店販售的桌遊都是一些小型、方便攜帶的卡片遊戲。●

Wirwar Spellen en Puzzels

Wirwar spellen & puzzels

地址	Oude Kijk in Het Jatstraat 40, 9712 EL Groningen
電話	+31503148424
營業時間	週二、週三、週五:10:00-18:00 週六:10:00-17:00 週日:12:00-17:00 週一:13:00-18:00 週四:10:00-21:00
網站	wirwarspellen.nl

作為大學城裡唯一的桌遊店，來客當然普遍都是大學生，而詢問親切的老闆娘最受學生歡迎的遊戲是什麼，沒想到居然是骰子小品遊戲—《快可思》(Qwixx)，不過也許這與它曾得到2014年荷蘭遊戲大獎(Nederlandse Spellenprijs)有點相關性。除了店頭擺放一些最新、熱門的遊戲以外，店內尤以冷門遊戲和老遊戲最多，是個空間小但是販售種類很豐富的桌遊店，足以滿足城內的大學生玩家。若要說這裡有什麼更有特色的地方，那就是它們會舉辦兩年一次的「北方人桌遊日」(Noorderspel)桌遊展，展覽每雙數年舉辦一次，所以假如之後還有機會過來這裡，我會挑雙數年大概9月底左右的時間吧。

●空間小但是品項豐富。●

●每個月都會列當月十大熱門遊戲給顧客參考。●

●除了櫥窗擺設的桌遊，也有一個大型桌遊就放在店門口讓經過的人試玩。●

想知道更多？ 什麼是北方人桌遊日 (Noorderspel)？

北方人桌遊日從 2012 年開始舉辦第一屆，至今已經舉行過三屆，參觀人數大約 1200 人左右。展覽只有一天，入場費為 2.5 歐元。展中邀請荷蘭各大出版社於 Aa 教堂共襄盛舉，同時場中還有受矚目的格羅寧根設計師大獎，目的是獎勵當地桌遊設計師能夠設計出更好的作品。

（圖片來源：Noorderspel））

●店內可以看到 2016 年舉辦的活動照片。●

店內挖寶趣！來看看我在這裡發現了什麼……

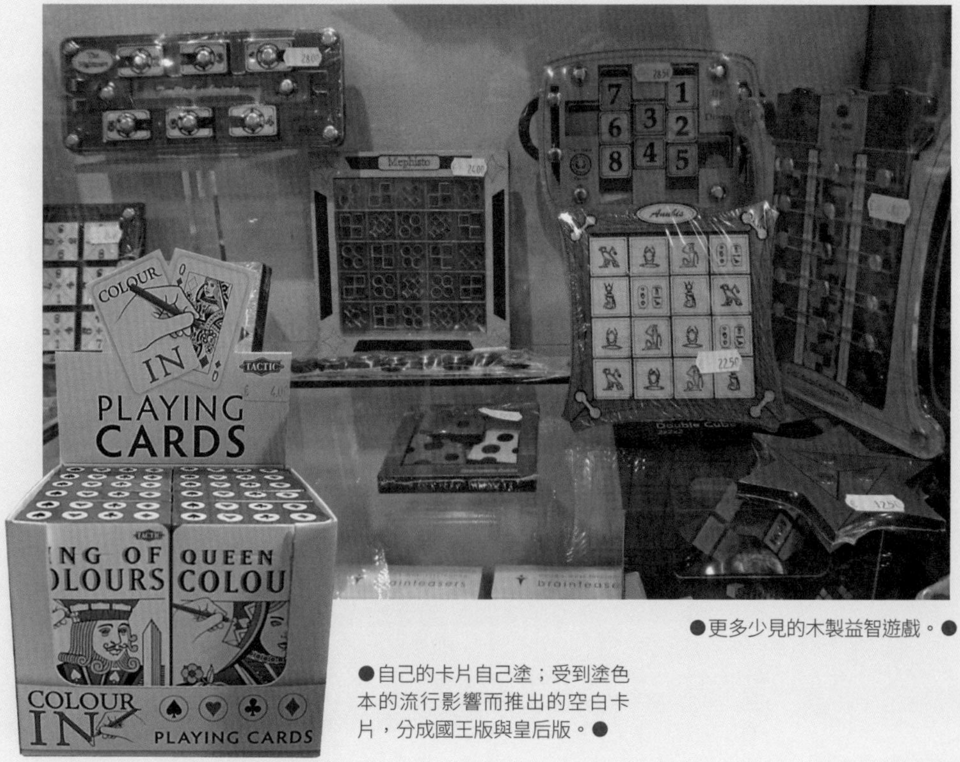

●更多少見的木製益智遊戲。●

●自己的卡片自己塗；受到塗色本的流行影響而推出的空白卡片，分成國王版與皇后版。●

店內挖寶趣！來看看我在這裡發現了什麼……

●埃及風格的《西洋雙陸棋》很特別。●

●只是一個《井字遊戲》需要這麼精緻嗎！●

Faszination in drei Varianten.
Trio Trio

● Trio Trio 是一款 1-2 人可玩的抽象遊戲，目地是要把兩色的子都移在同一排。●

●逛過這麼多桌遊店，第一次發現有桌遊店販售《泯滅人性卡片遊戲》(Cards Against Humanity)，而且擴充都很齊全！會不會與這裡的客群都是大學生有關呢？●

●總部設於荷蘭的出版社 Goliath Games，自 1980 年成立以來版圖已散布於世界各大洲。一些 Goliath Games 出版的老遊戲這裡也能找到。●

●得到 2017 德國年度遊戲大獎 (Spiel des Jahres) 的《多米諾王國》(Kingdomino)，在獎項公佈前就已經是各大桌遊店推薦的熱門遊戲。●

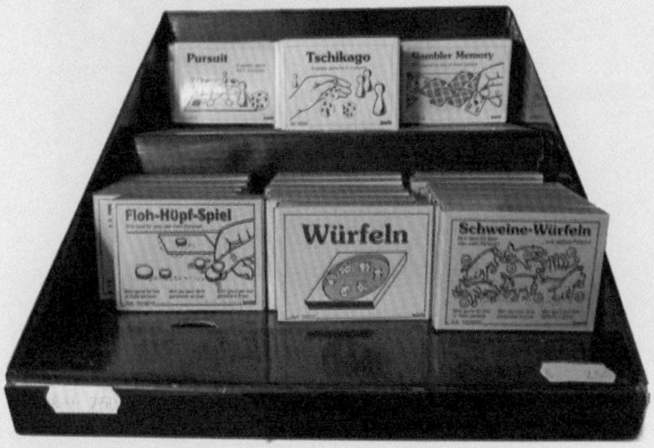

●各家販售的火柴盒桌遊還是有些微不同。●

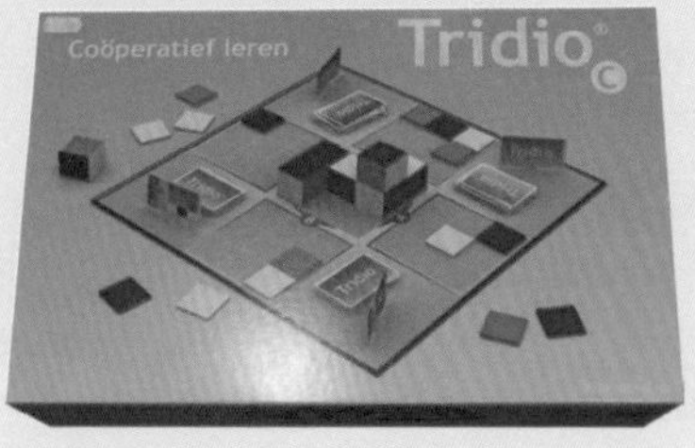

● Tridio 是一款考驗玩家 2D 與 3D 之間轉換的抽象遊戲。●

店內挖寶趣！來看看我在這裡發現了什麼……

●老闆娘也極力推薦的荷蘭國民遊戲《鐵支》(Kwartet)，有非常多主題可以選擇。●

●《海洋多米諾牌》(Ocean Domino) 受到小朋友的歡迎。●

●口袋遊戲系列是旅行的最佳選擇。●

●想找早期、復古的桌遊，相當推薦來這裡尋寶。●

●店內熱銷第一名的《快可思》！●

又被桌遊玩—戰利品開箱時間！

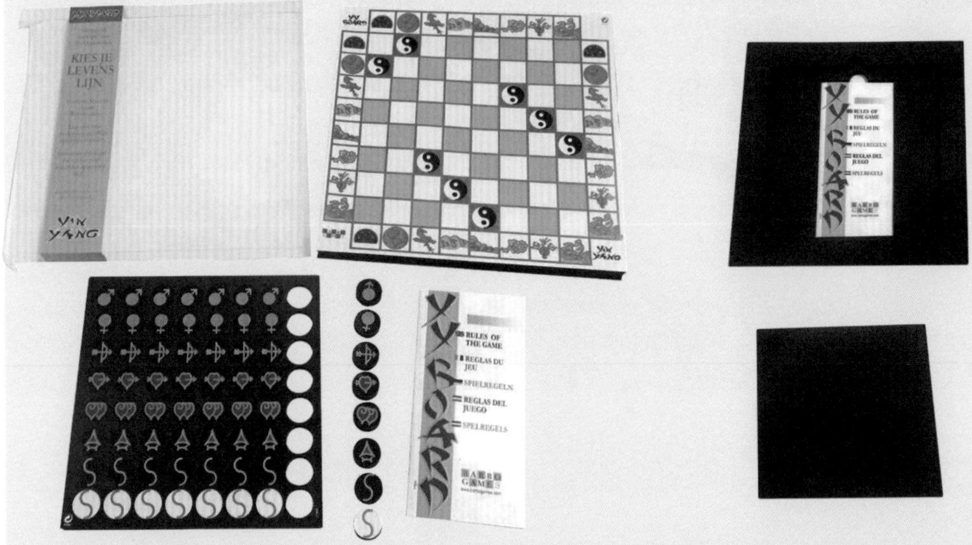

●請老闆娘推薦店內最罕見、難尋的桌遊，她推薦 Yin Yang Board - Kies je levenslijn。果然非常特別，連包裝和遊戲配件都很「另類」，整個遊戲都是用厚泡棉做成，可以剛好收納在圖板中。●

● 《鐵支》(Kwartet) 的插畫故事版。●

又被桌遊玩—戰利品開箱時間！

●自己塗色的撲克牌卡片，是說應該要連卡片角落的符號都空白，讓玩家自己塗才有趣吧。●

●老闆娘推薦動物主題的《鐵支》(Kwartet)，她說這裡面都是荷蘭的特有生物。●

India

EST. 2012
Boardgame Record

這朵花送給你，謝謝你跟我們買遊戲

出發到印度前，我試著回想起過去碰過任何有關印度的桌遊，像是《泰姬瑪哈陵》(Taj Mahal)、《印度大君》(Maharaja: The Game of Palace Building in India)、《果阿》(Goa)、《孟買》(Bombay)、《大君妃》(Maharani)，以及《齋浦爾》(Jaipur) 等，其實還真不少，不過這些都不是我想像印度當地應該會有的遊戲。以上這些遊戲的設計師，沒有一位來自印度，甚至如果我們要在 BGG 上尋找來自印度的設計師，也許屈指能數甚至根本沒有。當然我們都很清楚這些印度主題的遊戲在出版過程中，編輯與設計師認為這樣的主題適合這些機制，所以才有了現在的樣貌；我想我的意思是說，我真的很想在這趟旅行尋找「真的」來自印度的遊戲，不管是真的有設計師在設計的遊戲，不管是真的有設計師在設計遊戲也好，或者真的是印度的出版社也好，甚至是當地人真的在玩的遊戲那更棒。

●《齋浦爾》是一款商貿主題，相當受歡迎的 2 人遊戲。●

(圖片來源：出版社 GameWorks SàRL)

● 1876 年為了迎接英國威爾斯王子，城內所有建築都漆上粉紅色，齋浦爾的「粉紅之城」因而得名。圖為齋浦爾著名的風之宮，但是這粉紅色與我們現今所見的不同。●

●齋浦爾有相當多的景點可以造訪，圖為齋浦爾的水上皇宮。其它如城市宮殿中展示的文件，也可以見到古代桌遊的身影，例如《恰圖蘭卡》(Catura ga)。●

我想到 2014 年讓我思考世界桌遊地圖與其文化政治的《賣鹽商人》(Salt Merchant) 這款遊戲，它真真實實的來自印度，也是我在書寫部落格的文章中，最令我印象深刻的前幾款。當時我的想法是：印度也有桌遊？是啊，為什麼沒有？我們也許已經太習慣接收來自歐美、日本等桌遊產業發展興盛的國家，而忽略了桌遊的世界地圖其實是很遼闊的，也許哪天到某個名不見經傳的小島都能看見桌遊的身影，只是我們多半相信眼見為憑，從而疏忽了桌遊輸出的文化政治面的問題，大量且單方面接收來自歐美桌遊的發展與訊息，遮蔽了我們看見其它非桌遊主流國家的發展可能性。

●齋浦爾的鄰近城市—「白色之城」烏代浦，其城市皇宮博物館中有一區塊展示許多古老的桌遊。●

Geekybuddha Games是印度拉賈斯坦邦的桌上遊戲、卡片遊戲，以及電子玩具的製造公司，出版過《印度政治》(Politics of India)與《賣鹽商人》後便再也沒有任何關於桌遊出版的消息，也許BGG上的評價說明了一切，要進入以歐美桌遊為主流的市場並非那麼容易，然而同時要把帶有這種歐美文化特色的遊戲輸入印度國內市場，也許也沒這麼簡單。無論如何，有天偶然的看見《賣鹽商人》這款遊戲，便欣喜若狂的聯絡Geekybuddha Games，想要為它們好好介紹一番，它們也相當積極的在5天內把遊戲從印度寄來給我。

收到遊戲時，我一直試圖從過去看過有關印度的新聞報導、寶萊塢電影，以及深植於我腦袋那刻板的

●《印度十字戲》(Pachisi) 是《英國十字戲》(Ludo)，以及《飛行棋》等類似玩法遊戲的前身。●

●埃森展上可以看見推廣古代桌遊的攤位，因此可以發現《印度十字戲》的身影。除了四面骰，古代也會用貝殼當骰具。●

●古代的骰子為長方形，四面各為 1 到 4 點，普遍用於印度古代的桌遊中。●

●使用印度人偶的《西洋棋》。●

印度印象，勾勒印度到底是個什麼樣的地方。從大量吸收的偏頗訊息，印象中那裡有許多的婦女受虐、種族階級很分明、數學很強、咖哩很好吃、歌舞很有特色、《貧民百萬富翁》(Slumdog Millionaire)的場景，然後有很多的牛，大概全都是這樣的想像；我發現這些想像當中，我完全沒有可以置入「印度玩桌遊」的部分，那是因為它總是沒有在桌遊的世界地圖上亮相，頂多提到傳統遊戲，它們會被引用會被提起；它總是被主流的桌遊文化所排拒在外，甚至印度這個國家本身，也不曾為它投注過任何心力也不一定。

因為《賣鹽商人》這款遊戲，我對這趟印度行的桌遊發現之旅有更多的期待，同時也調整了很多我之前對於印度這個國家的想法，不過旅程中我並沒有相當刻意的去尋找所謂的桌遊店，或者桌遊可能存在的地方，我希望它是很自然的出現在我面前，也許是某戶人家正在遊戲，或者突然間看到某家店的角落販售著桌遊，就這樣抱著不期而遇的心情出發了。出發前拽了一套《齋浦爾》到背包裡，想著到齋浦爾的時候一定要拿出來玩，無奈行程相當緊湊且疲累，連打開來看一下的時間都沒有；對於有人說印度是背包客的終極挑戰果真不是假的。

☀

整趟旅行的前半段，我來到大部分觀光客選擇的行程—「北印金三角」，也就是阿格拉、德里，以及齋浦爾這三個地點，以及鄰近的烏代浦。這裡要發現桌遊真的不容易，或者可以說根本不可能會有，因為你會發現這裡「民生」最重要，娛樂反而是其次，甚至因為貧富差距大的關係，桌遊從來不是生活中消磨時間可能會出現的選項，對他們來說，電影、戲劇、表演還是有著更大的魅力。不過就在前往耆那教神廟的那天回程，包車的司機同樣把我們載到他們能抽佣的觀光商店後，我就在不熟悉街道以及沒有留下訊息給朋友的情況下，想想應該自己也走不遠，十分鐘而已沒什麼問題，自顧自的跑到方才疑似在車上看到的玩具店。

烏代浦城市皇宮博物館

地址	http://tourism.rajasthan.gov.in/
電話	+912942419021
營業時間	週一至週日：09:30-17:30
網站	tourism.rajasthan.gov.in

我隱約看到裡面有許多玩具的身影，那是一家禮品專賣店。從外觀看起來裡面有許多包裝的方盒以及豐富的色彩折射，跟一般店家很不一樣，我懷著裡面可能有當地桌遊的興奮心情，踏進了這家店。果然就是常見的那幾款，《西洋棋》、《跳棋》，以及Uno諸如此類的，抱著好奇的心，立刻向老闆詢問這裡有沒有當地人常玩的桌遊，果不其然，他從櫃子後拿出一盒棋子，起初我以為這是《象棋》那一類的抽象遊戲，經他解說玩法後才了解是所謂的《彈戲》(Carrom)，我整個人為之一振！可惜的是，他說這沒有棋盤的話不能玩，我追問棋盤是否在此，他卻回答在另一個地方，我當下沒有聽得很清楚，他只說大概要半小時從那裏拿來店裡，但是我只是溜搭出來10分鐘，在不耽誤行程的情況下，

●這間禮品專賣店的商品沒有妥善的分類，因此尋找商品相當吃力。●

根本不可能等上半小時！老闆的英文並不好，加上有濃濃的印度口音，一時我們的溝通陷入困難與無限迴圈，我急著想要拿到整套遊戲。此時門外走來一位看起來憨厚的青年，看來是老闆的兒子，但是他的加入於事無補。我想老闆是想要請他兒子從某處把棋盤拿來，但是我當下判斷時間不允許，因此告知帶走棋子就好。他的兒子有口吃，但我仍舊保持我的耐心，也許整個溝通所花費的時間已經足以把棋盤從某處帶來店裡。「就算你80盧比吧。」他們說。好便宜！我心想，整套木製的棋子只需要近台幣40元，立馬拿出一百盧比結帳。當下他們沒有任何零錢可以找給我，加上我覺得整家店要維持似乎不易，從他們的穿著和談話感覺得出來生活有點困難，於是我說就一百盧比吧，遞給他們後走出店門外，心裡仍舊盤旋著附近某處一定能找到棋盤的念頭，於是心想只需要再給我5分鐘的時間晃晃馬上就回去的自我對話後，我繼續往前方快步的走著。

他追出來了，是剛剛那位憨厚的青年，他攔住我，把袋子交到我手上，此時我相當疑惑，裡面是一束假的玫瑰花。「謝⋯謝⋯你，跟⋯我們⋯買⋯了這⋯這個⋯遊戲，這⋯這朵花⋯送⋯給你。」他氣喘吁吁且緩慢的說著。我突然心裡感到一陣暖意，是不是很久沒有人踏到他們店裡買東西了？而且還是一個進門劈頭就問桌遊的外國人。我說：「不會，很感謝你們賣給我這個遊戲，但是我需要棋盤，不過沒關係我會去找找。可以讓我為你拍張照嗎？」他很天真的拿起了準備要送給我的花，然後擺好姿勢。「好⋯⋯啊⋯⋯謝謝⋯⋯。」他緩慢的說著。按下快門，跟他說了再見，一百盧比我買到一盒《彈戲》需要的棋子，以及他滿懷感謝的笑容，也許他們明天的早餐有著落了。

●他追了出來，只為了 20 盧比的差價，決定多送給我一朵花。●

我很幸運，離開買了《彈戲》棋子的禮品店後，我在這條街的最後找到一間更大的玩具店。與此同時，我朋友已經結束他們的行程，司機也已經發動車子準備打道回府，在我沒有留下任何聯絡方式（加上網路不通）而且沒有告知去向的情況下，他們開始焦急的尋找我的身影。本想瞄個一眼就回去，沒想到我在店門口看到了棋盤！當時我不確定那是否就是《彈戲》的棋盤，但是我的直覺告訴我，我必須進去店裡好好的了解一番。我好糾結，因為走回去需要花費一段時間，加上我又沒有聯絡的方式可以告知我的朋友會再多待一會兒。我知道我的行為不對，但我還是毅然決定進店裡詢問。我立刻且迅速地向

●玩具店中的桌遊品項繁多令我吃驚。●

●老闆從身後拿出一盒：「喏，這裡還有更多讓你選。」「這些在遊戲裡都會用到嗎？」我抱著想收齊的心態問著⋯⋯●

老闆表明：「我剛剛買了《彈戲》的棋子，但是沒有棋盤，我在店門口看到的是否就是這個遊戲的棋盤？」「沒錯。」他說，我突然一陣欣喜，找到了！他首先又拿出更多《彈戲》的棋子，然後告訴我剛剛買的其實棋子有少，而且光是棋子這樣是不能玩的。他問說：「你想買整套嗎？」「當然！」我說，迫不及待他的介紹。

「你需要棋子、粉末、撞片，以及棋盤。」他一一的把所有《彈戲》需要的東西擺出來讓我了解，並且跟我說可以在Google找到詳細的規則。

《彈戲》在印度相當流行，如果你玩過《加拿大彈戲》(Crokinole)，應該立刻就能想到這是一款什麼樣的遊戲。雖然沒有明確的證據顯示這款遊戲的起源，不過多數人相信《彈戲》是由印度的君王所發明的。《彈戲》除了印度以外，印度半島附近的國家也相當流行，像是孟加拉、斯里蘭卡、尼泊爾等也有許多人在玩。《彈戲》在第一次世界大戰後開始流行，印度的清奈更於

●老闆相當推薦《事業》(Business)，我想這是一款類似《地產大亨》(Monopoly) 的遊戲。●

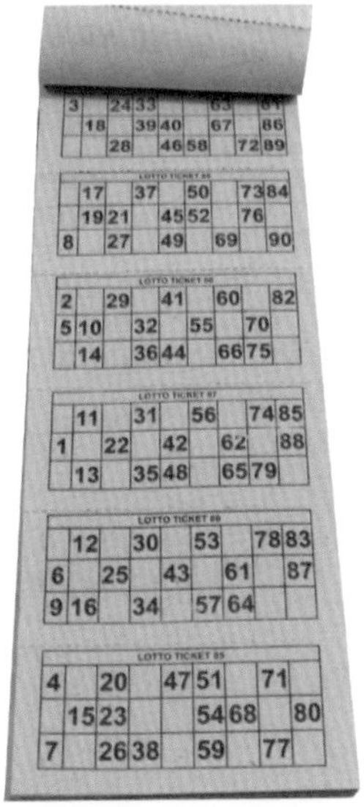

●老闆陸續拿出一些他喜歡的遊戲，像是這個 Tambola。這其實是個類似《賓果》(Bingo) 的遊戲，當號碼連線時，玩家還要一起歡呼 Tambola！●

1998年成立了協會，制定與發佈了印度版的正式規則，定期舉辦比賽。遊戲的規則很簡單，雙方各有黑棋與白棋9個，先用撞片把自己9個棋子與紅色皇后棋撞進棋盤四角袋子的玩家獲勝。

●後來老闆拿出合集，告訴我應該要買這個，會更划算。●

在簡單了解內容過後，我發現我還需要粉末讓棋子可以在棋盤上推移順利，此外他還有很多刻有漂亮紋路的撞片，一回神我已經挑了七八片以上了，一般來說只需要兩片即可。再來老闆展示了各種尺寸的棋盤，總共有三種大小，因為接下來還有很長的行程要走，我不可能帶走最大的，只能選擇買了小的，不過仍舊有60×60公分這麼大。整套買下來僅需要880盧比，等於台幣近440元，非常棒，但是當下我沒想到的是，光是棋盤的攜帶就非常麻煩！結帳後，我請老闆再多介紹一些當地的桌遊給我，他從身後拿出各種遊戲，不過都是我們所知道的常見款，像是《地產大亨》(Monopoly)、《蛇梯棋》(Snakes and Ladders)以及《英國十字戲》(Ludo)等。我陶醉於尋找桌遊的樂趣，完全忘記了時間以及朋友的焦急等待。

突然，司機開門進來，我才驚覺自己花太多時間在這裡，並且相當驚訝他們怎麼找得到我的所在之處，當下對朋友相當不好意思。也許這就是印度人特殊的直覺，司機覺得我不會走遠，所以這條街的每家店都跑進去看一下，果然發現我在最後一家店。快速結了帳，帶著我的棋盤與整套《彈戲》離開，回程的路上決定隔天就把它寄回台灣，沒想到這是一連串驚險且差點搭不上飛機的故事。

又被桌遊玩—戰利品開箱時間！

●《彈戲》遊戲板的正面與背面。●

●各種漂亮圖案的攻擊片，一場《彈戲》基本上只需要2 個撞片。●

●購買的當下因為不確定棋子是否齊，所以多買了幾盒備用。除了棋子，也需要讓圖板更滑，減少摩擦力的粉末。●

綠星人的補充說明時間

《彈戲》是印度、南亞流行的桌遊，也有人說是印度的《康樂棋》(類似香港的《康樂球》，因為坊間有一說，《康樂球》就是《彈戲》演變來的)。遊戲的玩法是透過彈射桌上的攻擊片 (Striker) 來撞擊已方的棋子，先把棋子都撞進圖板 4 個洞中的那一隊獲勝。一套標準的《彈戲》，棋子分為 9 個黑色、9 個白色，以及 2 個紅色的皇后，這些棋子多為木製，只有攻擊片為塑料。這類靠手指彈射棋子的遊戲在各國都有，例如《加拿大彈戲》(Crokinole)，然而現代的撞球、氣墊球 (Air hockey) 也有一說是這類棋類遊戲的延伸，差別在於後者並非直接透過手指推動對象物。

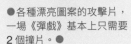

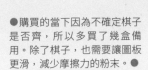

我與我的好運酸豆

●恆河邊，見證生與死●

我的旅行大背包完全容納不下它——我看著昨晚買的《彈戲》，完全沒有頭緒。我不可能揹著它走完剩下的行程，然後用手提行李的方式帶回台灣，所以決議開始一天的行程前先去郵局寄送。要先煩惱的是，它沒有任何的包裝，根本不可能寄送，我想得太簡單了，以為拿到郵局一切可以解決，比如所需的包裝盒等。司機先載我們去一家禮品店包裝，店家用著不知道何處蒐羅的紙箱拼拼湊湊，終於完成看起來還算穩固的扁型包裝。此時離我們搭飛機到下一個城市僅剩2個小時，我心想這包裝已經完成，拿到郵局只需要填個資料而已，應該花不到半個小時吧，殊不知完全大錯特錯。

☼

這裡毫無章法可言，郵局的櫃台人員也相當沒有耐性，一看到我的

●為了找紙箱包裝花一番功夫。●

●印單的機器壞了，旁邊圍了一圈等著寄送商品的人。我們的司機（右一）焦急又無奈。●

●不只重新用布袋裝著，周圍穿線縫過還用了蠟章。●

包裝就說完全不行，必須用麻布袋裝起來，並且在布袋的四邊用針線縫過，然後用蠟章於四邊封起，這樣才算完成寄送的第一個步驟，說到這裡我只覺得頭暈，只能說我都忘了這裡是Incredible India，千萬不能沒有彈性的思考任何事情！印度這裡無法談排隊的秩序，從路上汽車喇吧聲四起就能了解；期間來了好多要寄東西的人，但是完全沒有先來後到的概念。時間緊迫，最後只好多付一點錢，請郵局人員幫我們縫包裝布袋並加速寄送流程。

等待的期間，司機好奇我為什麼要購買《彈戲》以及跟我們聊起桌遊的事，我的朋友開始用印度語與他溝通，因為他不會英文。司機很有趣，在了解我來這裡找到一些桌遊後，他開始滔滔不絕的說他每天都在玩桌遊，等客人無聊的時候，他就跟朋友在旁邊玩一些桌遊。他在紙上開始畫起他常玩的遊戲。第一款是《直棋》(Morris)，我跟他說我也玩過，不過他們對這款遊戲的稱呼略有不同。第二款他說是 Sola Saar，但是網路上找不到資料；他仔細的畫在紙上，相當開心的跟我分享著玩法。

●司機越畫越起勁，詳細的對我們說明玩法。●

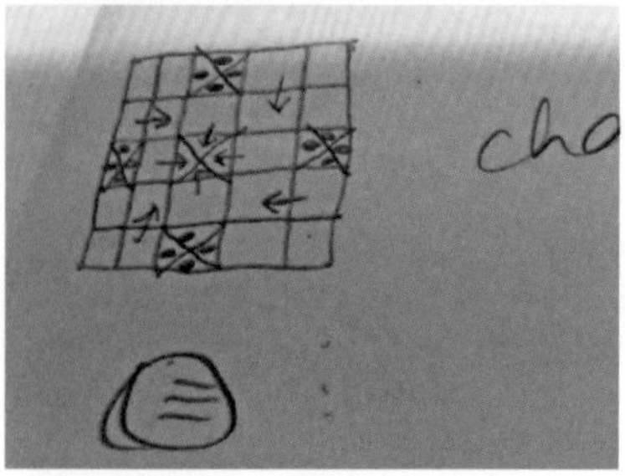

●不只說明豆子會怎麼走，還用箭頭畫清楚方向。●

第三款 Ashta Chamma 是他最喜歡的一款，印度各地同樣有不同的稱呼；這是一款類似《飛行棋》的遊戲，讓自己的四個棋子先到終點的玩家獲勝，遊戲中如果有抵達對手棋子所在的位置，還可以把對手的棋子踢回原位。這種遊戲需要骰子，不過他們會用酸豆(又稱羅望子)來當作骰子，遊戲中總共需要四顆酸豆，進階版的則需要八顆酸豆；擲骰時，看酸豆的正反面數量來決定自己的棋子可以走幾步，幾個正面就走幾步，例如4個正面就走4步，但是如果4個都是反面時則可以走8步！看正反面的部份感覺就像是我們的擲筊一樣，真虧他們想得到用手邊的植物來玩桌遊。至於棋盤哪裡找？司機說直接在地上畫就好了。講解完所有他玩過的遊戲後，他把酸豆倒在我的手裡要我帶回去玩，他說這四顆已經陪了他很久，而且相當好運的讓他贏了很多場遊戲，我反問真的要送我嗎？他僅簡單的表示再撿就有了，就這樣突然得到了一組用錢也買不到的桌遊配件。

和司機大聊桌遊所經過的時間飛快，此時離飛機起飛只剩1小時不到，偏偏在一切包裝就緒後，印單的機器故障，而且地址的部分相當有問題，寄件人必須是當地人才行，花了好長時間溝通才解決，真是淒慘！原本我們還規劃離開前到附近景點晃晃，這下子連飛機能不能趕上都成問題了。後來又經過一段時間等待，一切寄送程序才終於完畢，司機也只能無奈的一路狂飆載我們到機場。匆匆向他道別後飛奔到櫃檯，沒想到還來得及登機，只能說這就是神奇的印度，可能發生的變成不可能，不可能發生的變成可能，根本無法預期事情的結果。也許，這是我口袋裡的好運酸豆正在發揮它的功能。

●這就是我的好運酸豆，我將帶著它們開啟後半段的行程。●

帶著我的好運酸豆，我來到印度教的聖城—瓦拉納西，恆河流經於此。我從沒想過會來瓦拉納西，會來恆河試圖理解更多的生命與死亡；也許這就像是人生裡遇到不同的人，然後你願意繼續跟他們其中一些有更多的故事，然後故事發生了轉折。但我還沒有準備要在這趟旅程去想關於生死的議題，我就只是照著我的方式走著，所以來瓦拉納西的期間，我更傾向計劃不多而時間彈性與不期而遇所帶來的驚喜。於是住處的樓下餐廳放著你沒想過會有的簡單桌遊，並且無預期的在街角撞見了販售玩具的禮品店，對當地來說已經可以說是如桌遊店一般的存在；甚至只因站在門外駐足觀望而被邀請進一戶人家家裡參觀，滿是灰塵很有歷史感的櫥櫃裡，擺的都是桌遊。

●閒晃在瓦拉納西的街上，禮品店裡可以發現一些桌遊。●

●你可以找到各種樣式的《彈戲》圖板，圖中這種還包含了其它遊戲。●

●瓦拉納西住處的樓下是一間受到老饕歡迎的餐廳。你可以在餐桌上發現桌遊。●

●一處住戶熱情的邀我進他們家參觀，我一度以為那是他們出售中的桌遊。●

河邊的祭典正要開始，所有人加緊步伐往河邊走，我也跟著踩在步伐上，亦步亦趨的跟隨著，但是進度似乎不是很理想，於是我決定鑽入一旁的捷徑，並在那裡發現有趣的事。「你們在玩《彈戲》對吧？」走在自認為比較沒人的小巷弄裡，我突然撇見一群孩子圍著《彈戲》的圖板興奮的跳著、笑著。我沒有把握他們是否聽得懂英文，不過有個比較大的孩子

●許多人會這樣待在恆河旁一整個下午，也許正在思考生命的意義或者晚餐要準備什麼。●

頻點頭，並作勢要拉我加入他們。

「來，來，一起玩！」他用簡單的英語單字說著。正思考《彈戲》的普及性時，它馬上就出現在我眼前。「我可以為你們錄一段影片嗎？就是你們繼續玩，我拍一小段。」我指著我的相機，他們明白，錄製期間英文比較好的大孩子還不時跟我解釋玩法，並反覆問我要不要一起玩，說才一下子，熱情難以招架。我以祭典快要開始為由拒絕了他們的邀約，並希望他們繼續玩，不要因為我的打擾而中斷。大孩子突然認真的問我：「欸，你從哪裡來？叫什麼名字？」，我已經準備離開，但還是回頭回他：「我從台灣來，我是Citie。」大孩子對我揮一揮手，突然大聲的喊：「Citie，下次要再來玩喔！」我沒有回答，僅是點頭並微笑著，再次揮手再見。祭典結束回來，我刻意選擇走回同一條巷子，但孩子已不在那裡，倒是《彈戲》的圖板以及棋子還在地板上，安靜的等待著。

不只是瓦拉納西，後來在觀光客較少的印度東部城市—布巴內什瓦爾，也能發現桌遊的身影。後半段的行程完全出乎我意料之外，這些故事和地點都不在Google Map中，也沒有什麼引導告訴我得怎麼走，是偶然，也或許真的是口袋裡的酸豆帶來好運。機場大廳裡禮品店裡千篇一律的桌遊，是全球化與資本化呈現的樣貌，你找不到《洽圖蘭卡》，也不會有《彈戲》，但是你知道那些遊戲還在某個角落靜靜的等待著，等待那位有好運酸豆的人回來。

●普里的科奈克太陽神廟，已被列入聯合國教科文組織的世界遺產名錄。布巴內什瓦爾是個千年歷史的大城，有相當多的遺跡可以看。●

●布巴內什瓦爾是奧里薩邦的首府，而相鄰的靠海小鎮普里，則是印度教的聖城。●

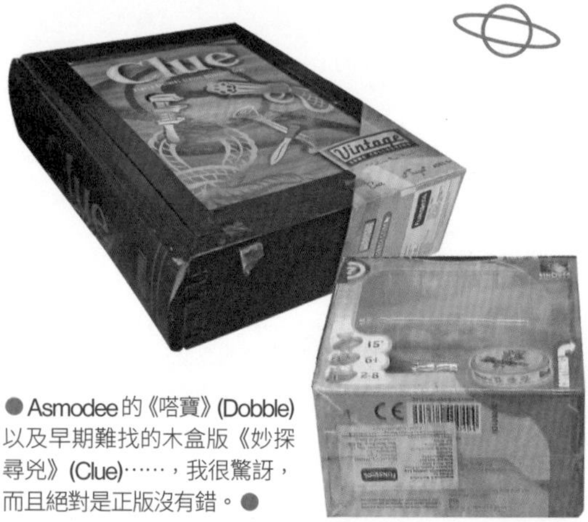

● Asmodee的《嗒寶》(Dobble)以及早期難找的木盒版《妙探尋兇》(Clue)……，我很驚訝，而且絕對是正版沒有錯。●

●觀光客不多的布巴內什瓦爾，市區的小店裡居然販售這麼多桌遊。●

●新德里的機場禮品店也有特別的桌遊品項販售。●

Japan

EST. 2012

Boardgame Record

堆滿笑容！大阪桌遊店走走

大阪日本橋站的黑門市場實在太美味了，這裡的觀光客絡繹不絕，每個店家想必每天都接待不暇。若以這裡為中心，往北、往南各有一家桌遊店可以前往，在黑門市場飽餐一頓後，可以考慮到這兩家桌遊店晃晃。因為路線規劃的關係，決定先前往離日本橋較遠的桌遊店—DDT。DDT位於堺筋本町站與長堀橋站中間，從哪一站走距離都差不多，不過從日本橋的方向來的話，長堀橋站還是比較近一點。

來之前先用Google地圖查過詳細的位置，搭配GPS並不難找，不過周遭辦公大樓與住宅林立，前往的途中難以想像這裡存在著一家桌遊店。這是一棟10層樓高的辦公大樓，走進大門先確認9樓是否是DDT的所在位置，此時離下午三點的開店時間還有半小時，來早了。原本打算明天再過來，不過DDT的店休日是週二，旅程安排上不太方便。來到了店門口，大門深鎖，還有一點時間但附近又沒有能待的地方，只好席地而坐打盹起來。不一會的時間，電梯門開了，一位身著黑白相間橫紋毛衣的短髮女生走了出來，我向她點個頭，支支吾吾的想要表明來意，但她似乎明白我的意思，僅連忙說著：「不好意思，再稍等一下。」便匆忙的進去店裡並關起大門。此時的我思忖著她的身分，是今日的工讀生呢？還是老闆本人？

○到黑門市場尋覓美食的觀光客不少。○

○小巷弄中的牆上有《將棋》俱樂部的會員招募資訊。上面有很多訊息可以解讀。○

等待的時間，看了一下門牌上的營業與收費狀況，平日是下午三點到晚上十一點，假日則是中午十二點到晚上十一點，固定休假則是禮拜二，和網路上看到的資訊雷同。收費則是30分鐘兩佰日幣，一整天是一仟日幣，假日一整天是一仟五佰日幣，也有月費制隨你玩的三仟九佰八拾日幣，這定價在這裡其實相當便宜。環視一下周遭環境，像極了一般公寓住家，客人真的知道這裡有店家嗎？想必是經營熟客吧，此時對於店內的狀況更加好奇起來。終於，門開了！時間正好下午三點。

不過這時還是無法踏進門。女

店員一推開門，店內被滿滿的貨箱給擠滿，她一個人扛起整箱的桌遊並往門外堆放，我一度示意想要幫忙，但她說著我聽不懂的日語並且行動迅速的把所有箱子以及營業中的架子都往外擺了，最後拿出來的則是一塊已經變形的招牌；忙完的她連忙彎腰向我說：「請進，歡迎參觀。」且不時報以微笑，真是個親切的人呢。

☀

一進入店內先環視整個環境，店內分成左右兩區，左邊的區域有三張桌子以及整牆的開盒桌遊，右邊則是櫃檯以及放置各種桌遊的櫃子。我用非常拙劣的日語搭配比手畫腳，徵詢她是否能夠拍照，她用手指比了一個大大的Okay，同樣的又報以一個非常有活力的笑容，於是我開始記

○店鋪前半是商品區，後半則是玩家遊戲的地方。店內販售不少二手及部分全新的絕版遊戲。○

錄店內的各種擺設。在那之前，我想著應該先打個招呼，所以我遞給了她我的名片，向她表示我是來自台灣的桌遊部落客，她開心的也給我一張她的名片，說她是這家店的店長，稍早的疑惑頓時被解開，心裡想著：好厲害！後來我們用簡單的英語溝通，搭配大量的姿體語言與笑聲，簡單的交流如此有趣，雖然語言不同，但是當下我們知道，喜歡桌遊的心是相同的。「登愣」，手機傳來一個通知音效，原來是她已經在 Twitter 上跟隨我的帳號。

打過招呼，我開始愜意的逛起來。一進門的大櫃子擺的都是新進口的桌遊，但是大部分的櫃子擺的桌遊並沒有類別與系統可循，日本本土的遊戲以及進口的遊戲錯落擺放，雖然看似很難一眼就找到想要的遊戲，但我覺得這倒也不錯，尤其對第一次到這裡，還不確定要買什麼的我來說，很有尋寶的感覺。本來還以為這裡相當偏僻，能找到這裡的客人並不多，殊不知才晃沒有多久，陸續有客人上門，不過都是來購買遊戲的散客，沒有待在店裡玩。

除了新品，也有一些二手區、絕版遊戲區的櫃子，多款都沒有標上價格，想必是驚人天價吧，我這樣想著。仔細搜尋的過程中，瞄到架上有 TIROL 巧克力的桌遊，當場欣喜若狂的從架上拿下來，急忙想要問她價格，此時她一臉苦惱但又不忍我失望的樣子說著：「這是非賣品」，我立刻收起興奮情緒並詢問哪裡還能買的到，她表示 Yodobashi 或是 Big Camera 這種大型商場也許會有，但我知道這已經絕版了，這兩個地方不可能會有的，不過還是笑笑的感謝她提供資訊。

○因為很喜歡 TIROL 巧克力，所以看到這款遊戲非常興奮，而且還可以拿自己喜歡的口味來玩呢。○

○ Yodobashi 或是 Big Camera 的確有非常多的桌遊可以選購，有時還能找到很有創意的遊戲。○

來到這裡一定是帶一些日本才能買到的當地桌遊，所以我花了相當時間在搜尋想要的日本遊戲。不過其實這裡也有很多與歐美同步上市的國外遊戲，而且相當迅速地已經在盒背上提供日文規則的翻譯附件，假如想要搶先玩又不在意價格稍高的話，倒是可以考慮在這裡購買歐美出版的遊戲。所以我帶了幾盒日本遊戲以及一盒《國家》(Nations) 的擴充，結帳時，店長又和我閒談起來，問我預計在這裡待多久，寫部落格多久了等問題，同樣的，臉上堆滿相當有親和力的笑容，完成了一個雙方都很滿意的交易。

離開前，我和她說，有機會也來台灣玩，她表示很有興趣也很期待；走出店門口，那塊歪斜的招牌又出現在眼前，相當有特色且令人印象深刻。這裡的品項不是最多的、陳列與擺設不是最頂級的，但是小小一間坪數不大的桌遊店裡，有一個熱愛桌遊、勤勞付出，以及隨時保持親切笑容的店長村上小姐。走出大樓往地鐵站方向移動，準備前往下一個目的地的同時，手機又傳來訊息通知聲，原來是店長迅速的貼了一篇文章，全文大意是說明我的造訪讓她很開心，看完也不自覺的暖心起來。

○村上小姐送我一盒《枯山水》，這個禮物真的太大了！○

後記①：過了差不多四個月突然接到一通電話，電話裡對方的英文說得很含糊，但一聽就知道是日本人口音。沒有多久，兩男一女進入約定的桌遊店裡，當下還沒有意會過來這位小姐是DDT的村上店長，但是一直在回想到底在哪裡看過她。當她們從店裡搜括了一些商品後與她們攀談，這時才因為認出對方而哈哈大笑，店長嶄露關西人會有的開朗熱情，同樣露出親切的笑容，並且瞬間從帶來的袋子裡抽出一盒桌遊《枯山水》，說要送給我當作禮物，我明白這遊戲的貴重，頓時受寵若驚。我拿出手邊智帆的兩款小遊戲贈予她，開心的合照，相約下一次相見。他們一行人只來台灣短期旅遊兩天，沒想到能在台北碰到她，覺得是相當特別的緣分。

後記②：2017年2月再訪大阪，想說再去和村上小姐打個招呼，沒想到 Google Map 上赫然顯示原址已歇業。不會吧？覺得不太可能收攤的情況下再次仔細搜尋，這才發現原來 DDT 已經分成兩個店鋪，一間是離原址不遠的 BOARDGAME SHOP DDT，以及地鐵中津駅的 Boardgame Lab DDT。首先我到了 BOARDGAME SHOP DDT，店員才和我說現在已經有兩家分店，而我要找的村上小姐，則在 Boardgame Lab DDT。簡單拜訪過 BOARDGAME SHOP DDT 後，立刻跑來中津駅的 Boardgame Lab DDT。這裡有點難找，而且一樓沒有招牌，必須按直覺走上樓梯才會發現 Boardgame Lab DDT。推開門一陣驚喜，就如同店名實驗室一樣，整間店布置成科學間的樣子，搭配燈光以及擺設，整間店看起來根本不像桌遊店，而櫃檯的村上小姐也穿著研究袍，整個就是酷！她依舊堆滿笑容且相當開心我的造訪，期間即使忙碌，還是特地教我玩了一款非常熱門但已經售罄的推理遊戲。真心覺得她真的很厲害，會不會下次再來已經變成3間、4間、5間分店了呢？

○ BOARDGAME SHOP DDT 是原本的 DDT 搬遷過來的一號店。○

○ Boardgame Lab DDT 是 DDT 二號店，以實驗室作為整間店的主題與背景，讓每個進來店裡的人就像真的要來研究桌遊一樣。○

○店內的佈置很用心，科學背景的遊戲以及相關的燒杯玩具都成了擺設的一部分。○

○即使整間店是冷冰冰的科學主題，還是要放一些小熊溫暖一下。○

○店內採光良好，空間也不會讓人覺得擁擠，一旁的衣架、包包架，以及移動式遊戲車的提供很貼心。○

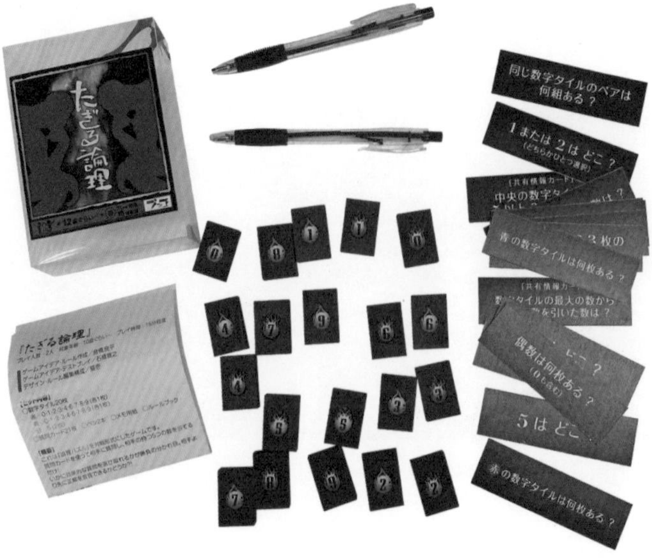

○村上小姐以及店內客人大力推薦的2人推理遊戲。○

○有哪家店會用這種詭異的光照射商品？ Boardgame Lab DDT 真的超酷！○

BOARDGAME SHOP DDT

地址	日本〒 542-0081 Ōsaka-fu, Ōsaka-shi, Chūō-ku, Minamisenba, 1 Chome － 13 － 1, 1 階 竹田ビル
電話	+81664846864
營業時間	週一、週三至週五：15：00-23：00 週六及週日：10：00-23：00 週一公休
網站	boardgameshop-ddt.com

○光線和佈置真的就像是在實驗室一樣。○

Boardgame Lab DDT

地址	日本〒 531-0072 Ōsaka-fu, Ōsaka-shi, Kita-ku, Toyosaki, 5 Chome － 7, 〒 531-0072 5 丁目 7 － 21-301
電話	+81661319606
營業時間	週二至週五：13：00-22：00 週六及週日：12：00-22：00 週一公休
網站	boardgame-lab.com

結束DDT的參訪後到下一間桌遊店前，決定先到梅田百貨公司裡的中川政七商店，購買當時它們推出的「日本工藝版」《地產大亨》(Monopoly)，因為你不會在桌遊店發現它。其實只要是中川政七的商店，現在都還有販售這套工藝版《地產大亨》，甚至後來跑到奈良的創始店以及小分店也都有相關商品。此外一些景點如大阪歷史博物館，也能發現一些傳統遊戲的身影，或者甚至是觀光商店裡也會販售設計精良的桌遊，仔細研究一番絕對會有遊戲買不完、資訊吸收不完的感嘆。

○從梅田藍天大廈望出去的景色，附近有相當多的大樓以及百貨公司。○

○百貨公司內的中川政七商店分店。○

○工藝版《地產大亨》設計的漂亮又有特色。○

○中川政七奈良三条店販售更多工藝版《地產大亨》有關的相關商品。○

○不只扭蛋，也有整盒全套出售的鄉土玩具，可以作為工藝版《地產大亨》的棋子，替換原本遊戲中的鹿。○

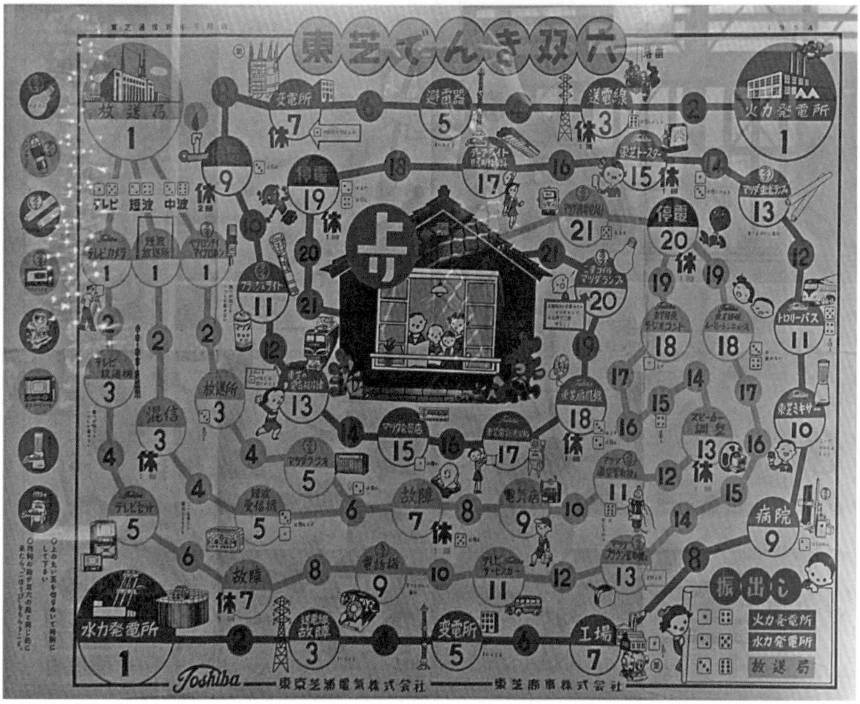

○梅田藍天大廈地下樓層的復古商店區也有一些遊戲可尋，例如這個「擲骰移動」類型的遊戲─《東芝電器雙六》。○

○大阪歷史博物館中展呈過去出版的《公共市場雙六》。○

○觀光商店販售的賓果遊戲，非常有設計感。○

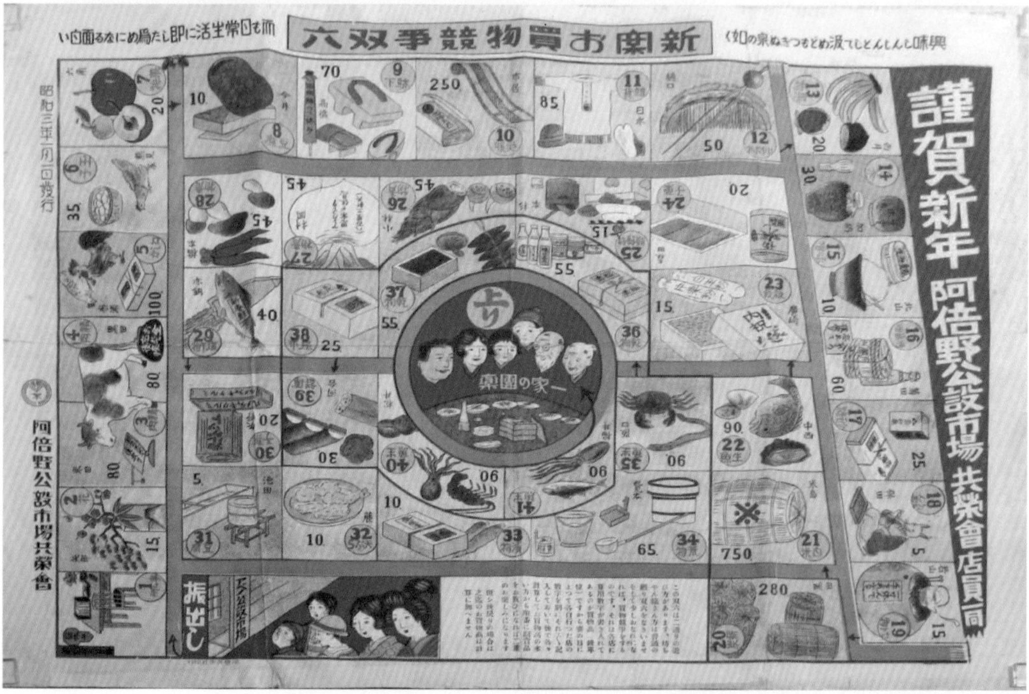

想知道更多？ 一什麼是中川政七？

中川政七過去以精良的麻織品「奈良晒」起家，隨著時代演進結合文創，現在是販售多元商品的設計商店，2016 年輔慶祝 300 週年，是日本相當知名的工藝產品設計品牌。2015 年推出的「日本工藝版」《地產大亨》(Monopoly) 是它們邁向國際化的嘗試，目的是要推廣日本的傳統工藝，因此遊戲中玩家不是買地產，而是蒐集各種傳統工藝品。

從日本橋站往南一站的惠美須町站可以直接前往通天閣，通天閣是浪速區新世界商業街的瞭望塔，來到大阪的遊客幾乎都會來這裡登上塔頂，看看大阪的整個城市風貌。離這裡不遠的地方有一間桌遊店—Kiwi Games，從惠美須町站出來往北走，按照地圖指示就可以找到，不過這裡沒有明顯的招牌，要注意一下一樓放置的小看板，看到奇異鳥叼著一顆骰子的綠色標誌就知道目的地到了。

○ Kiwi Games 從這裡去。○

Kiwi Games 的官方網站做得很棒，可以直接在網路上看到它們店裡的環景照，不過顯現的只有提供大家進行遊戲的地方，少了門口進來販賣桌遊的小空間。順著指示走到二樓，門口佈告欄以及大門的樣式讓人看起來就像是來到一個私人俱樂部，敲敲厚重的鐵門無人應門，遂打開直接走進，裡面有一位女店員招呼著；向她表明來意以及簡單介紹我自己並遞給名片，她通知了簾後的老闆出來迎接，不過相較 DDT 的店長熱情招呼，老闆僅簡單表示歡迎隨意參觀，隨後就回到簾後工作。我注意到桌上的價目表，收費比 DDT 貴一些，在這

Kiwi Games

地址	日本〒556-0005 大阪府大阪市浪速区日本橋 5 丁目 7-10 山田ビル 201 号
電話	+81665999792
營業時間	週一、週四及週五：13:00-21:30 週六及週日：10:00-21:30 週二及週三公休
網站	kiwigames.jp

○現場開盒的遊戲種類非常豐富，最新出版的遊戲也在其中。○

裡玩平日是每半小時兩百五拾日幣往上遞增，若是超過一個半小時的話，就算整天的費用是一仟日幣。假日則更貴一些，半小時兩佰五拾日幣計，但另外還有三小時一仟兩百日幣與整天兩仟日幣的方案，此外店裡有飲料吧，無限享用的話只需要額外再付三佰日幣，如果有加這一項的話，遊戲的費用還算能夠接受，當然這是當時的數據。

店內有許多當地小出版社的寄售商品，所以你可以在這裡挖到更多有趣的日本遊戲，甚至發行一陣子不太好找的也有。店內販售的商品種類與DDT差不多，大阪這兩家桌遊店販售的桌遊品項相較東京則是比較少，大都以熱門和最新的為主，少數有些特別的遊戲放在角落。這裡也能找到台灣設計師的桌遊，例如智帆的作品、以及摩埃、大玩的出版品都可以發現。此外，簡單的周邊配件也有販售，但不算齊全，如果只是想要找基本桌遊相關商品那也足夠了；Kiwi Games與DDT兩家店販售的東西也有些微差異，可以彼此互補，這家找不到就到另一家。

在這裡發現了由小學館所出版，中道裕大的《放課後さいころ倶楽部》漫畫，這是一本描述有天女高中生放學後到一家叫做《骰子俱樂部》的桌遊專賣店，進而開啟桌遊認識之旅的故事，漫畫中每一集都會提到約5款的桌遊，選中的桌遊不一定，以德式桌遊為主，偶爾也提一兩個日本本土的遊戲，同時也提到桌遊的規則和玩法，其實還蠻有在看《遊戲王》的感覺，只不過除了出場人物的故事主軸外，登場的遊戲比較沒有連續性，因此為了讓每集出現的遊戲更多元，每個單元分別看並不會受到影響。目前《放課後さいころ倶楽部》並沒有中文版，不過想著也許哪一天真的會日文可以看，還是買下收藏了，在我購買的當下出版到第六集，於是六本全都帶走。

○店內販售許多日本國內的遊戲。○

○中道裕大的《放課後さいころ倶楽部》桌遊漫畫，除了本身故事發展，也介紹許多遊戲的玩法。○

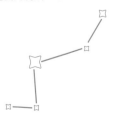

買了幾款日本桌遊以及漫畫後，開始逛起另一邊的空間，整個大約是販售空間的三倍大，而內部的擺設也如網站上的一樣，多色繽紛的椅子營造出一種熱鬧的氛圍。也許是我到的時間有點晚了，時值晚上8點，離閉店時間只剩約一個半小時，現場只有一桌的客人正在玩《卡坦島》，他們相當安靜的進行者，也許是專心地思考，也許是發現了不速之客，整個空間有種說不出的凝滯感，我就像是闖入了私人俱樂部，打擾了他們的遊戲時間。意外地發現店內開盒的遊戲居然比販售的遊戲還多，琳瑯滿目的開盒遊戲，連最新的都有，從這點加上飲料吧以及旁邊類似吧檯的設計和簡餐製作區，這裡主打的是來店遊戲沒錯。另外飲料吧旁的玻璃櫃裡，鎖著一些早期懷舊的桌遊，無法隨意拿出欣賞，應該是老闆的收藏吧。

○飲料吧以及遊戲空間，舒適的空間要待上一整天都不是問題。○

環視了四周，並且於販售桌遊的空間再次掃視了一圈，確定沒有遺漏自己想要的遊戲後，我向女店員點頭示意離開，隨後小心翼翼的闔上大門，結束了這趟大阪桌遊店的巡訪。彷彿還意猶未盡，當下想再搜尋其它店家，心想一定還有其它的桌遊店或販售桌遊的地方（當然像Yellow Submarine這樣的地方不是沒有想過，但是覺得應該和東京的幾家分店差異不大，便沒有排入行程中）不過時間已經不夠所以作罷。大阪的兩家桌遊店雖然帶來全然不同的感受，但又覺得應該還可以有第三家來補足不管是遊戲品項的缺乏，或是截然不同的經營面貌，無論如何，這些就留待下回揭曉吧。

又被桌遊玩—戰利品開箱時間！

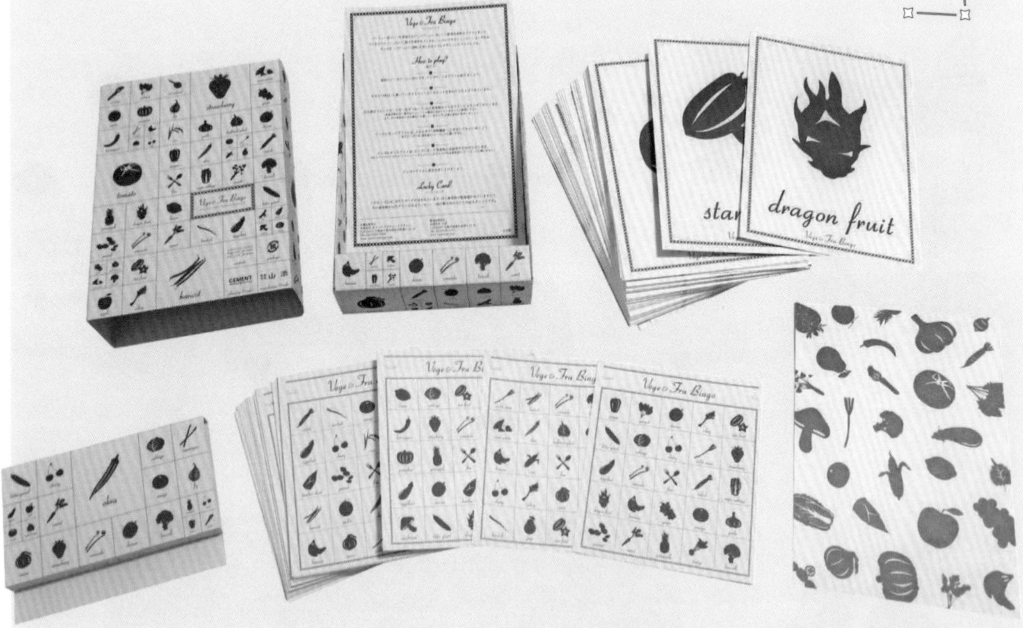

○蔬菜版的賓果遊戲 Vege&Fru Bingo ○

又被桌遊玩—戰利品開箱時間！

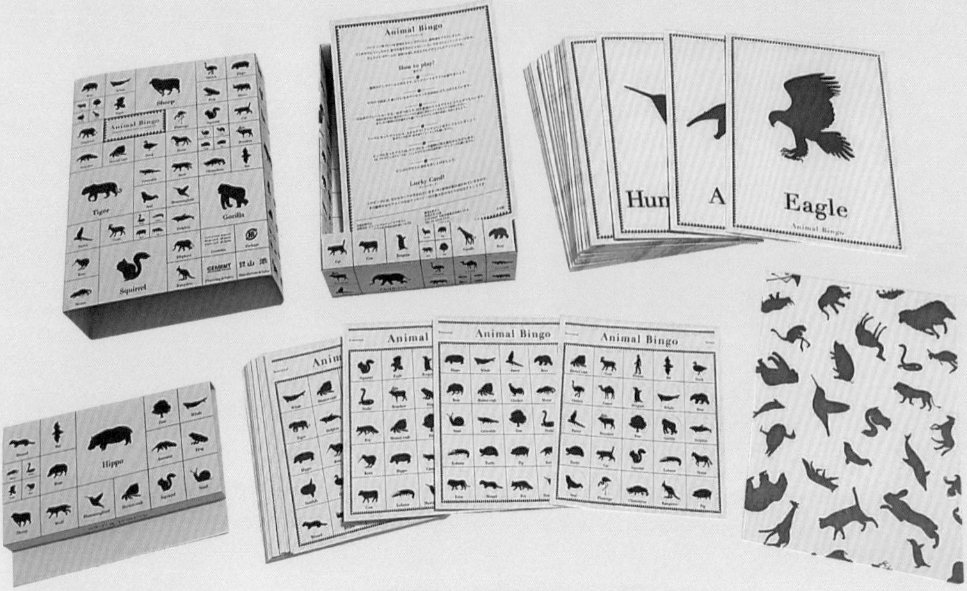

○動物版的賓果遊戲 Animal Bingo ○

○傳統相撲遊戲，透過兩根棒子撞擊平台來讓人偶移動，不能讓自己的人偶跑到線外。○

○簡單有趣的 2 人區域控制遊戲—《市松》，想辦法讓自己的顏色區域佔最多。○

○紙相撲玩具，盒子本身就是相撲台，用手指點擊盒子四個角落來進行紙偶的角力。○

又被桌遊玩—戰利品開箱時間！

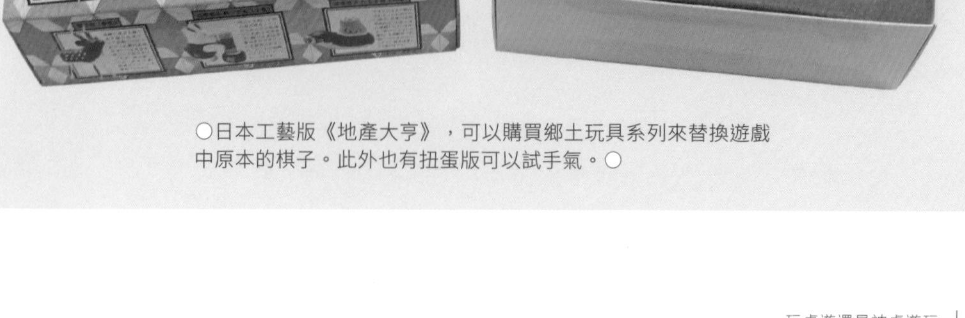

○日本工藝版《地產大亨》，可以購買鄉土玩具系列來替換遊戲中原本的棋子。此外也有扭蛋版可以試手氣。○

MONOPOLY
Fast-Dealing Property Trading Game
ZIPANGU
日本工芸版
GO
8+
ZIPANGU
日本工芸版
Japanese Traditional Art Crafts Edition
日本全国まめ郷土玩具標本
遊び方説明書
海洋堂
日本まめ郷土玩具分布図

你是特別的！Game Market 尋人啟事

自從 2015 年開始參加 Game Market 以來，每回總是挑正好 Game Market 舉行的期間造訪日本，又因為 Game Market 一年有三場，因此造訪日本的機會變得很多。也因此，我在東京所遇到的故事已經多到一個瀕臨記憶臨界點的量，即使有再多照片和文字記錄也記不住這麼多細節。最早也是始於 2015 年春季場的 Game Market，當時想著假如我能把這些故事記錄下來，透過書的方式記錄可能會更好，所以有了這本書的計畫，從那時起，每個我所造訪的地點以及遭遇的人、事、物，我都試圖用大量的照片記錄並用文字寫下。印象最深刻的就是，幾個故事因為參加連續幾次的 Game Market 而串連起來，它們可能是好幾個支線任務，最後又匯集成同一個，或者分別有了不同的結果。

自從更認真經營桌遊部落格以來，多少也接觸了一些其它國家的桌遊部落客，其中一位我認為真的很了不起的，就是 Table Games in the World 的經營者—小野卓也先生。第一次參加 Game Market 的時候就有打算要和他碰個面，不過當時也許還不熟悉東京以及 Game Market 的運作，因此這個計畫並沒有成行，於是在 2015 年的秋季場 Game Market 時，開始認真的對待這件事，開啟了一場自己所謂的「尋人啟事」。要聯絡小野先生其實可以透過他的信箱或是推特，但當時我沒有這麼做，而是找機會看能不能直接在 Game Market 現場遇到他。

隨著對東京越來越熟悉，東京那幾家熱門的桌遊販售點，如黃色潛水艇及 Role&Roll Station 等，便不在每回造訪東京的必訪清單中了。從商業夥伴那得知，至 2017 年上半年為止，東京有約近 80 家的桌遊店，有的是桌遊的專門販售點，有的則是結合咖啡、餐飲，店鋪數量還在持續上升中。因此這回前來，除了小野先生的拜訪計畫，特地前往個人認為很重要的一間桌遊經銷暨出版社—Möbius Games。

Möbius Games

地址	〒 112-0004 Tokyo, Bunkyo, Koraku, 1 Chome – 1-15
電話	+81338155956
營業時間	週二至週五：11:00-19:00 週六：11:00-17:00 週日及週一公休
網站	mobius-games.co.jp

綠星人的補充說明時間

Table Games in the World 是小野卓也先生於 1996 年開設的桌遊部落格，部落格裡有許多桌遊新知以及各種相關訊息。本著推廣桌遊的心，小野先生認為日本必須從「桌遊開發中國家」擠身為「桌遊已開發國家」的行列中，因此相當積極介紹桌遊並從事桌遊相關事務。該網站主要以日文更新訊息。

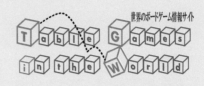

Möbius Games所經營的小店就在水道橋站（無論是JR還是地下鐵）附近的梅澤大樓5樓，一樓有相當清楚的標示，實際並不難找。事前已經有先在Möbius Games的網站上看過它們的店鋪內部，因此來到現場時，並沒有讓我有特別驚喜的地方，倒是能勢良太先生以及能勢真由美小姐的好客讓我印象深刻。其實這店鋪就是它們的辦公室，造訪當天還見夫妻倆忙著進貨的事宜。我不會日語，因此現場是以一種我用手勢加英語，而他們用日語以及寫字的方式達成溝通，或者當這些方法都行不通時，就用笑容來代表一切。過去對它們的了解，大概就是有代理幾款經典遊戲的日文版，例如《矮人礦坑》(Saboteur)、《卡卡頌》(Carcassonne)、《種豆》(Bohnanza)等，對於它們也有直接進口遊戲來販售這點則是到了店鋪，經過它們說明才知道是怎麼一回事。

○梅澤大樓一樓就有 Möbius Games 招牌。○

○整間店就是能勢夫妻的辦公室。○

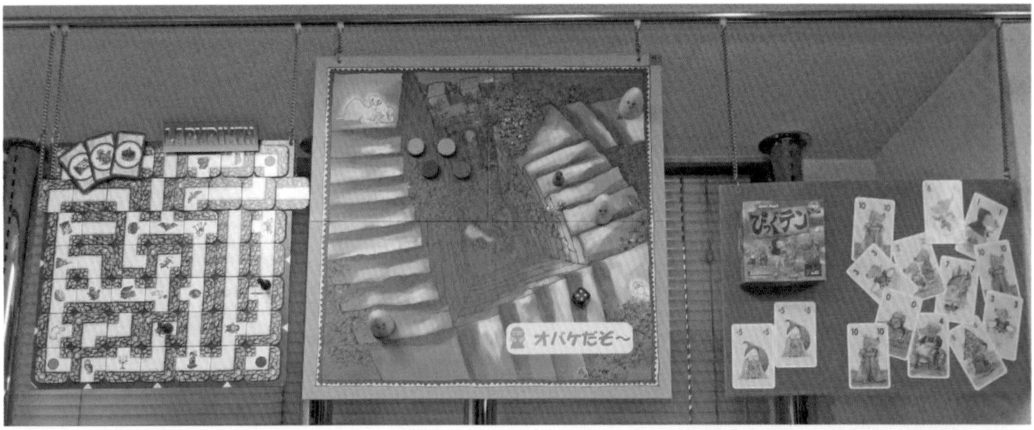

○有趣的桌遊展示方式，它們把桌遊的配件直接貼在紙板或圖板上展示。○

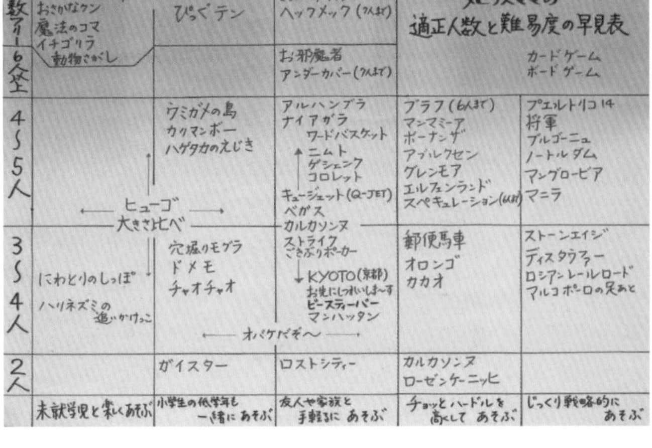

○每款它們引進的遊戲都有詳細的介紹。○

○手寫的遊戲適用人數與難易度量表，相當用心。○

經過簡單的閒聊後，我拿起架上一本 2014 年出版，由真由美小姐執筆的《埃森展指南書》，我向真由美小姐表示，之前有在一些網路上的桌遊店鋪看過，但一直沒有機會入手，這次終於能直接從出版社這裡收藏它，她聽了之後相當開心的為我在書上簽名，並給了我 2015 年的更新小頁，親手包進書中。完成一件任務之後，我內心惦記著此趟的目的之一，因此拿出手機展示並開口向真由美小姐詢問是否能聯繫到小野先生，因為我想他們一定認識小野先生，而且 Game Market 開展在即，應該會有一些聯繫的管道。我和他們說，上回我來 Game Market 沒有遇上小野先生，所以不確定他是否每一場 Game Market 都在，良太先生聽了馬上表示小野先生每場都會到，因為他會去記錄現場的遊戲，並做一個現場新遊戲的投票活動。真由美小姐則是立刻幫我連絡了小野先生，並擔心我可能開展時找不到他，要我到現場時跟她聯繫。很快地，我在晚上回到飯店時立刻就接到小野先生用推特給我的訊息，他說他會戴著頭巾並穿著黑色上衣，要我試著在展場尋找他的身影。

○每年 Möbius Games 會舉辦日本的《卡卡頌》選手權大賽，並領著參賽者前往埃森展參加決賽。圖為《卡卡頌》設計師 Klaus-Jürgen Wrede 的簽名。○

○ 2014 年出版的《埃森展指南書》以及真由美小姐的簽名。○

○和能勢夫妻於 Möbius Games 合影。○

翌日，Game Market 已經開場，我也開始我的採訪時間，同時也開始採購現場的桌遊，當然尋找小野先生的任務也同時在進行著。人海茫茫，尋找起來真的有點難度，幸運的是，我在沒有任何聯絡資訊的情況下碰到真由美小姐，她馬上遞了一張紙條給我，上面寫著 Mr. Ono J01-02，意思是說小野先生會在 J01-02 的攤位上，要我直接去那裏找他。想想有了資訊，我就不急著見小野先生，反倒是非常擔心之前預約爆滿的《收集御朱印》可能會買不到，因此我先到了不二の会的攤位看看有沒有機會，但是果然得12點後才有可能釋出沒有取貨的名額。

陽岳寺的住持向井正人先生，設計了《收集御朱印》這款遊戲，而小野先生則是洞松寺的住持，當時心理想的是，原來日本的僧侶這麼有才，而且比我想的還要出世，也許我對它們的信仰並沒有這麼了解。《收集御朱印》算是除了《枯山水》以外，另一套我覺得非收藏不可的遊戲，這多少是因為它和《枯山水》一樣，主題牽涉了傳統文化與習俗，我對日本這方面的遊戲非常有興趣，當然一方面也是因為遊戲的美術和排版有一定水準。

○怕我忘記，真由美小姐特地寫了紙條給我。○

○ Game Market 開展！許多遊戲必須事前預約，通常是預約的數量是有限的，販售完就得等重刷了，或者有的遊戲不能預約，只能現場購買，因此會有展覽一開，大家衝到遊戲有限定數量的攤位前排隊的狀況。○

我已經不抱任何希望，當我準備離開不二の会的攤位時，向井先生正巧迎面走來，不知道是不是很得他的緣，簡單聊過自己的來歷以及為什麼到這裡尋找《收集御朱印》後，他說：「等等，這個給你吧，**12**點後過來，你一定會拿到一套《收集御朱印》，因為你是特別的！」他用流利的英文說著，我驚訝的說不出話來，看著手上的整理卷再看看他，只能不停的感謝。後來我的確順利的買到一套《收集御朱印》，甚至後來隔年的春季場 Game Market 期間，我還從他辦的向源寺廟展活動中，收藏了第二版的《收集御朱印》以及當時剛推出的《檀家》，他在展覽活動上告訴我：「你果然又來啦。」，就好像冥冥中有什麼事是已經註定好的，只是等著時間推移並發生。

○之前不懂要申請採訪許可而被檢舉，後來每次的 Game Market 一定都會申請「取材證」。○

○原本《收集御朱印》已經預約結束，不過後來向井先生還是給了我一張編號 14 的整理卷。○

○辦在百貨公司裡的向源寺廟展活動，當時新出版的《壇家》搶在 Game Market 前推出。○

○ Game Market 上不二の会的攤位陳設。○

○與《收集御朱印》設計師一向井先生合影。○

我還是在尋找小野先生的身影，因為他根本就沒有一刻在攤位上。第二次碰到真由美小姐時，她直接把我領到小野先生面前，於是我們就這樣在展場上碰面，後來也陸續在重要的場合如埃森展上碰面。當時小野先生在忙著他個人獨立出版的小書，這本書裡頭有多位設計師、出版社大人物、以及重要桌遊人的訪談，當然這訪談也包含他自己。他比我想的還要活潑有趣，是個非常熱情的人，而且非常健談。我手邊特地準備了他之前寫的桌遊介紹書，他很開心的為我簽了名，並表示對台灣的桌遊也很有興趣，希望哪天可以來看看。就像完成一件大事般放下心中大石，那一次的Game Market讓我覺得行程非常豐富也很充實。至今他仍舊非常認真的經營Table Games in the World，而且已經長達21年（截至2017年），我想沒有任何人能阻止一個人對熱愛事物的追求，只要他有恆心和毅力。

結束這次的Game Market後，真由美小姐告訴我，如果喜歡傳統遊戲的話，一定要到神保町的奧野かるた店看看，於是我在回台前造訪了奧野かるた店。神保町一帶以許多的書店和出版社而聞名，尤其神田古書店街是世界上最大的舊書店街，因此許多古物及書籍的愛好者都會來這裡尋寶。奧野かるた店販售非常多日本傳統遊戲，例如《歌留多》、《百人一首》、《花牌》、各式雙六遊戲（擲骰移動類型的遊戲）等，無論從歷史、文化哪一個面向來看，店內販售的遊戲可以說都相當有研究和收藏價值。奧野かるた店也和許多博物館合作，出版了很多復刻的雙六遊戲。整間店除了傳統遊戲，也有販售一些熱門的現代遊戲，是一家非常特別

○終於和小野先生碰面！手上是當時剛出版的訪談小書。○

○奥野かるた店是位於神保町的傳統遊戲桌遊店。其店開業於 1921 年，1979 年時搬到神保町，2009 年則開放二樓的展覽空間，該空間展示許多傳統遊戲。○

○漂亮的版畫美術讓我有想要包下整間店的遊戲的衝動！○

且值得造訪的桌遊店。

隔年再次參加 Game Market 時才知道，原來奧野かるた店附近有一家アソビ Café，當時還在店裡鬧了一個有趣的笑話。アソビ Café 的店長 Azumi 小姐，也是 Cattack! No.1 的設計師，一進店內就可以看到許多 Cattack! No.1 的配件以及盒子等著組裝。我和 Azumi 小姐說要三個 Cattack! No.1，結果她以為我要水，就端了一杯水給我。原來是因為我的爛日文發音，把みず（水）跟三つ（三個）唸得很像，這個小錯誤搞得當場大家樂不可支。也是因為這些事件，讓每回到日本的桌遊之旅都異常有趣；儘管還有更多想分享給大家的故事，但是我得在這裡停筆。更多故事將會繼續發生，而我只能盡可能的把自己所見所聞記錄下來，並期待下一次的旅行到來—無論是實體的還是桌面上的。

═又被桌遊玩─戰利品開箱時間！═

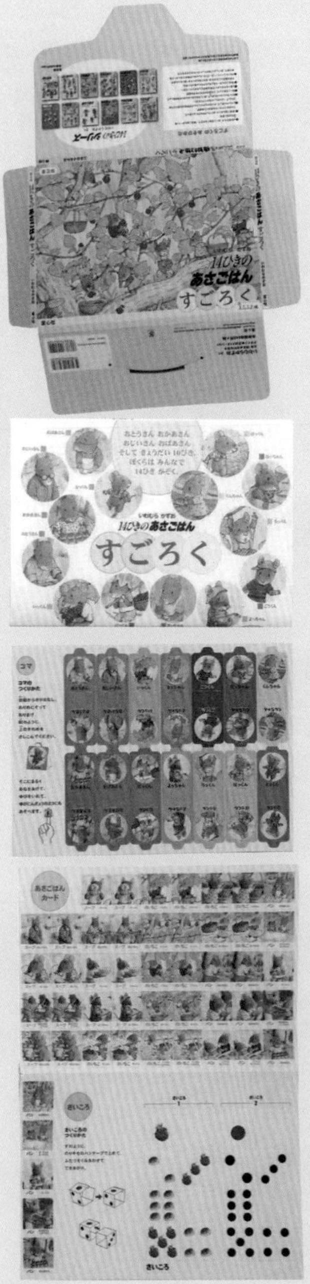

○童書系列桌遊，海報說明不僅是遊戲圖板也是故事書。○

═══奧野かるた店 (Okunokaruta)═══

地址	2 Chome-26 Kanda Jinbocho, Chiyoda, Tokyo 101-0051
電話	+81332301041
營業時間	週一至週六：11：00-18：00 週日：12：00-17：00
網站	mobius-games.co.jp

又被桌遊玩──戰利品開箱時間！

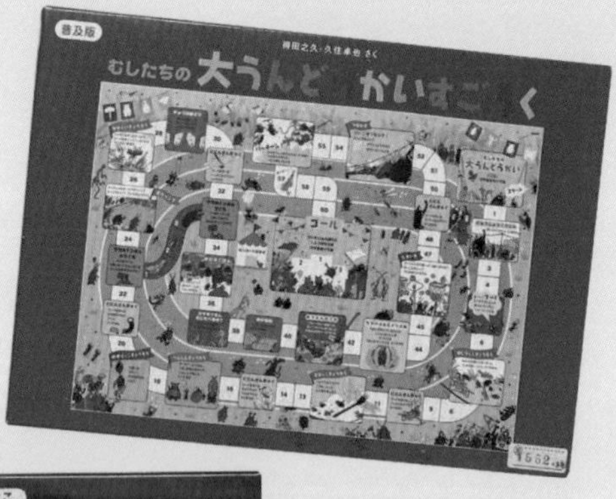

○現場販售相當多的雙六遊戲，圖中這款 Esugoroku 可以看成是日本版的《賽鵝圖》。○

○店面沒有顯眼的招牌，不過玩家應該都可以辨認這個「米寶小人」。○

○店內空間簡單舒適，同時也提供許多開盒遊戲。○

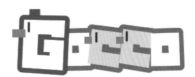

○ GoccoGames 是 Azumi 小姐的出版品牌，除了桌遊、桌遊書籍出版以外，也有策劃和舉辦許多遊戲活動。○

○為我簽名中的 Azumi 小姐。○

アソビ Café(Asobi Café)

地址	〒 101-0051, 1 Chome-32-42 Kanda Jinbōchō, Chiyoda-ku, Tōkyō-to 101-0051
電話	+81355774217
營業時間	週一、週三至週五:17:00-00:00 週六及週日：12:00-00:00 週二公休
網站	asobicafe.com

又被桌遊玩—戰利品開箱時間！

每場 Game Market 幾乎都有上百個新遊戲發表，其中各種各樣的桌遊點子和創意令人讚賞，搭配普遍美感和品味相當不錯的插圖和設計，場中有許多令人愛不釋手的遊戲，在還不了解規則的情況下就吸引人進一步了解。此外「手感」也是日本遊戲或說現場販售的遊戲會有的其中一種特點，許多第一刷的遊戲都是設計師自己少量印製打造。底下展示「部分」個人相當喜歡的收藏。

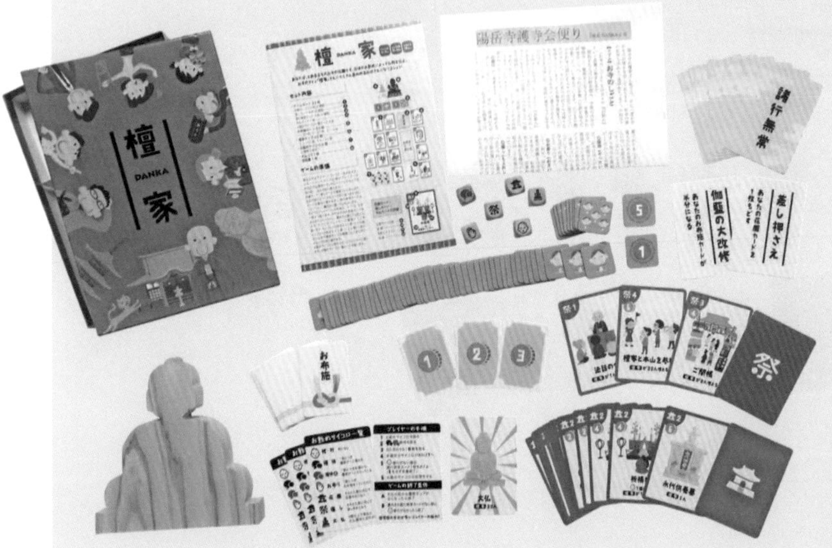

○《檀家》以及向井先生的簽名。「遊戲三昧」指的是菩薩修行到最高的境界，儘管悲憫眾生、透視三世如幻，但他還是快快樂樂地生活在世間，同時也在世間中遊戲。○

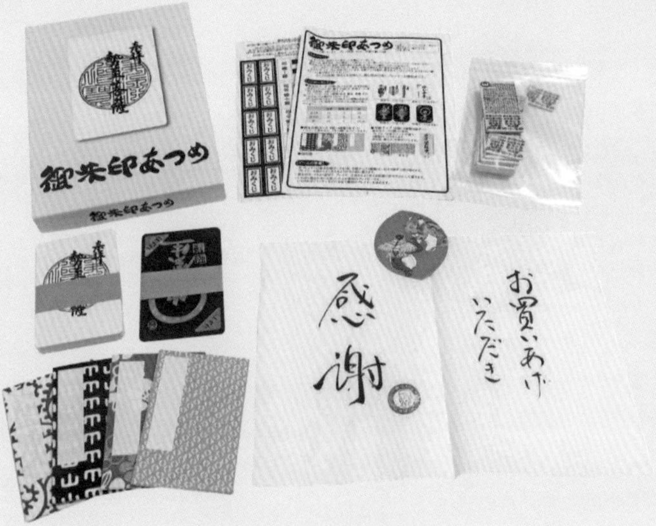

○一版的《收集御朱印》。○

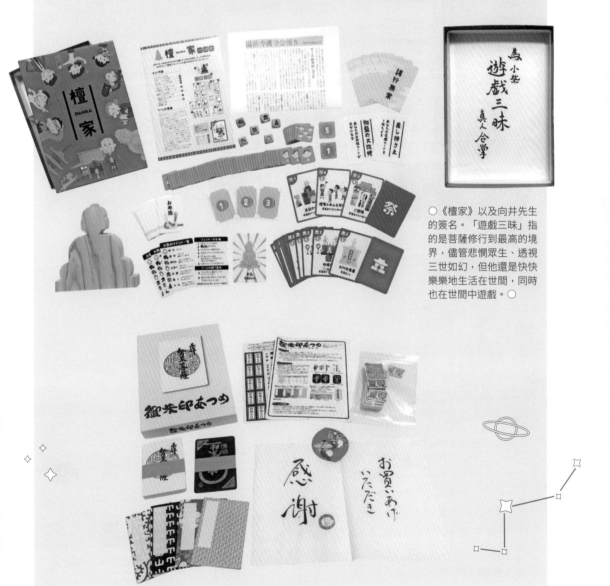

又被桌遊玩—戰利品開箱時間！

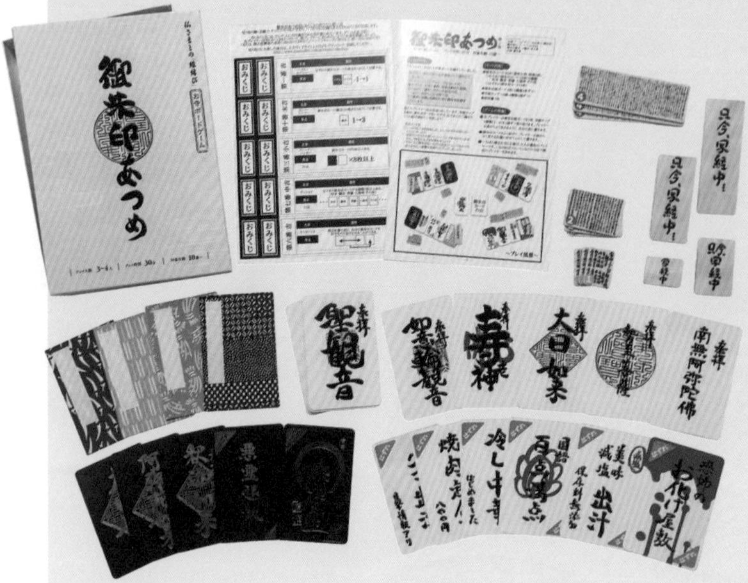

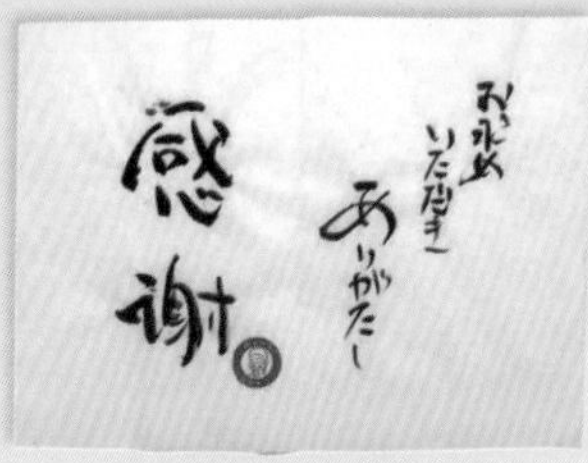

○二版的《收集御朱印》，御朱印通常是日本神社與寺院授予的一種參拜證明，有虔誠信仰者或者愛好者會特地到各寺廟收集。○

○每一盒遊戲都會有向井先生的銘謝真跡一枚。○

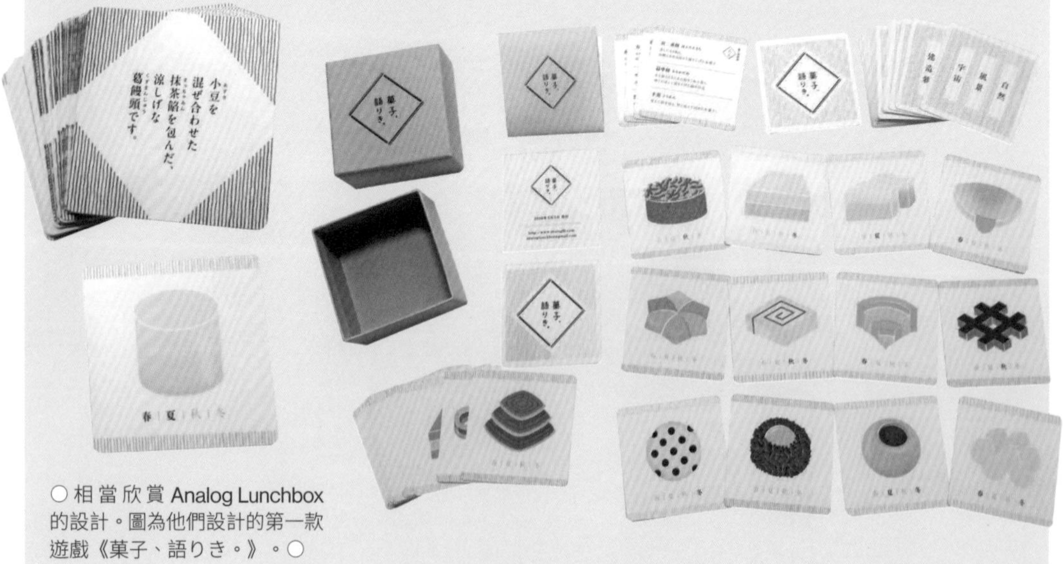

○相當欣賞 Analog Lunchbox 的設計。圖為他們設計的第一款遊戲《菓子、語りき。》。○

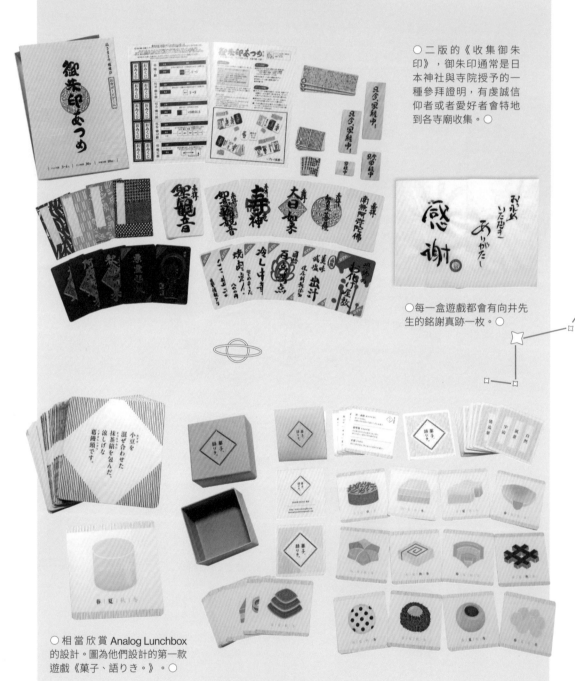

又被桌遊玩—戰利品開箱時間！

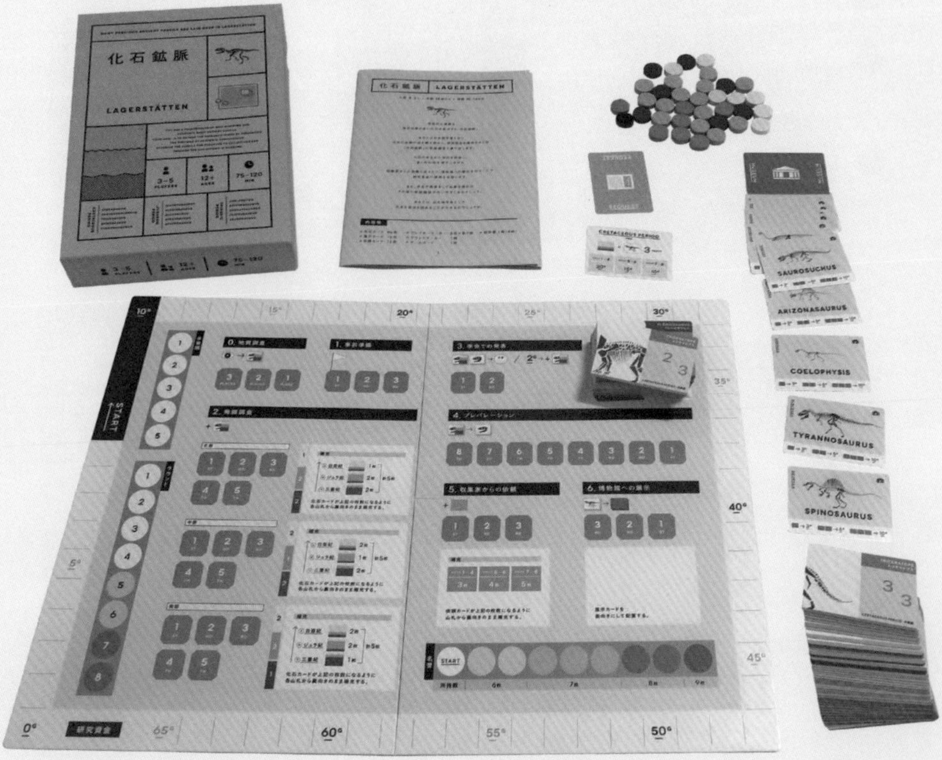

○後來推出的《化石鉱脈》迅速在現場銷售一空。○

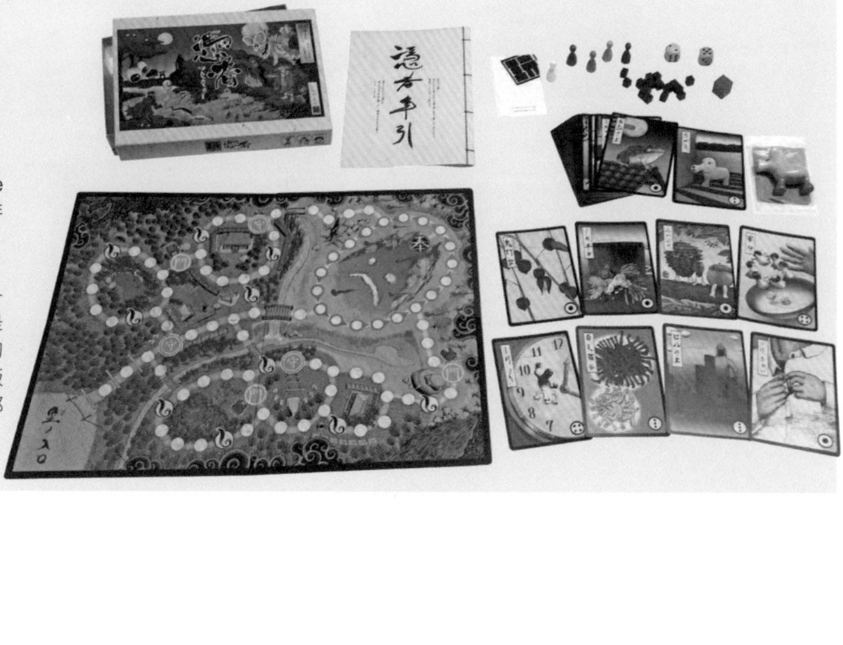

○有一次 Game Market 開展就排《憑者》的攤位，遊戲美術非常棒，尤其是卡片上各種怪物的設計，是當時瞬間售罄的商品。後來出版社イルガング都沒有新動向。○

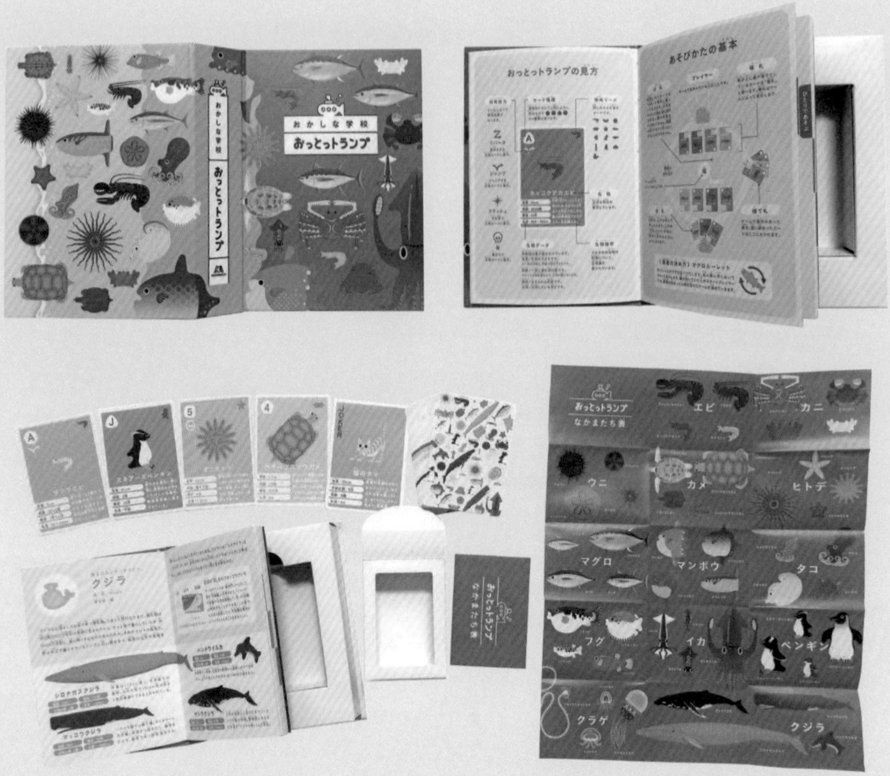

○森永製菓推出的海洋遊戲，一副牌可以玩數十種遊戲，遊戲的小書不僅是海洋生物圖鑑，也是遊戲規則書。○

○《団扇と小槌》，日本有許多以妖怪為主題的遊戲。○

又被桌遊玩—戰利品開箱時間！

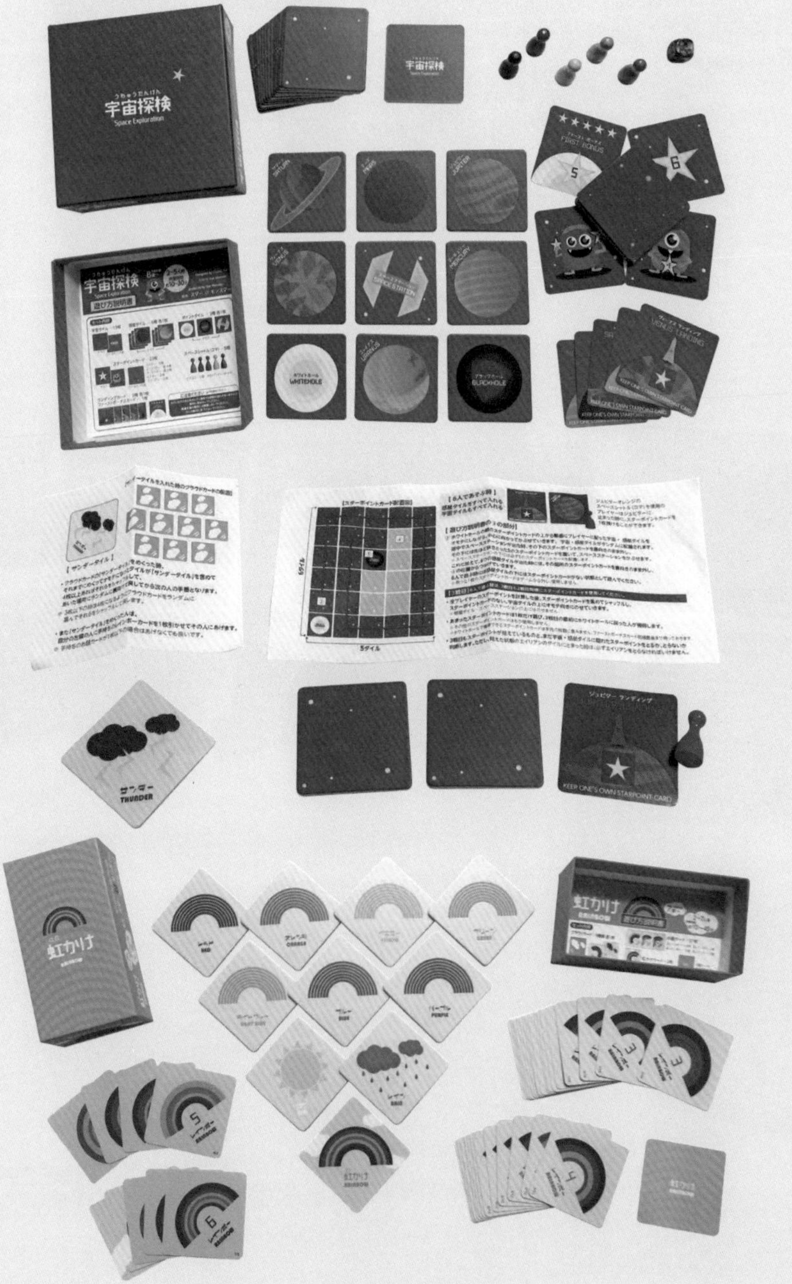

○《宇宙探検》以及《虹かけ》由 GAME CREATORS PLUS 所出版，現場販售還贈送限量擴充。○

○《捕込》○

○一款探究古畫中的符號與意義的特別遊戲──《驚異の部屋》，
無論美術和設計都很傑出。○

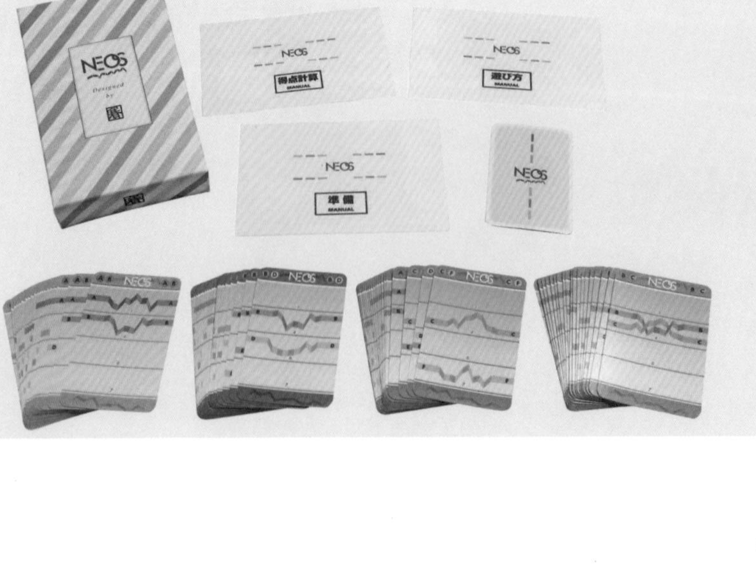

○賽苑團隊設計的作品都有簡單且富有設計感的視覺。圖為早期的作品 Neos。○

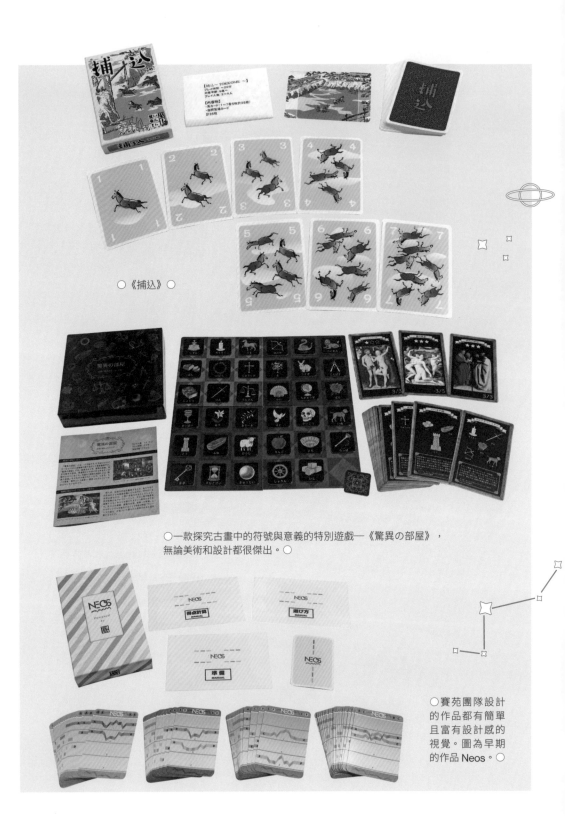

又被桌遊玩—戰利品開箱時間！

○ CITRUS×CITRUS ○

○ ASOBI.dept 是個集合各領域設計師的團隊，有次推出搶手的《ダイス木》，還要透過抽籤來取得購買權 (見圖左下)，當時很幸運的中了藍籤 (代表可購買該遊戲)。○

又被桌遊玩—戰利品開箱時間！

○現場販售的桌遊書很多都很有創意，比如突擊桌遊玩家的家，貓與桌遊的小書，以及抽象遊戲大全的遊戲書。○

○ decmee 的遊戲和設計是 Game Market 我最愛的前十之一，每年都會想到它們的攤位看看它們有沒有新作品。它們主要推出解謎遊戲以及火柴盒遊戲系列。遊戲的主題發想主要來自團隊成員的故鄉—岐阜縣吉祥寺。

Swan Date
Swan Date
peace
yeah!
matching
END!
banzai
good
boy
girl
lucky!
×3
×3
Patterns
Patterns
Patterns
うかい
+1
+2
+3
+4
+5
Patterns
うかい

《玩桌遊還是被桌遊玩》同名書

作者|小柴

攝影|小柴

內頁排版|李宜靜

封面設計|小柴

發行|玩桌遊還是被桌遊玩

印刷/出版|墨帥印刷有限公司

統一編號| 43843109

地址|臺北市大安區復興南路 2 段 368 之 1 號

電話| 0926154086

本書於嘖嘖集資出版 嘖嘖

2017/8/15 初版

信箱| e0004252@gmail.com

粉絲頁| https://www.facebook.com/boardgame.record

台灣總經銷

新天鵝堡企業有限公司 Swan Panasia Co., Ltd.

地址| 10660 台北市新生南路三段 56 巷 7 號 1 樓

電話| +886-2-2369-2527

客服| +886-2-2930-8983

統一編號| 13120886

www.swanpanasia.com

info@swanpanasia.com

BR